D0362789

Le Club des Cinq joue et gagne

Le Club des Cinq joue et gagne

Illustrations
Frédéric Rébéna

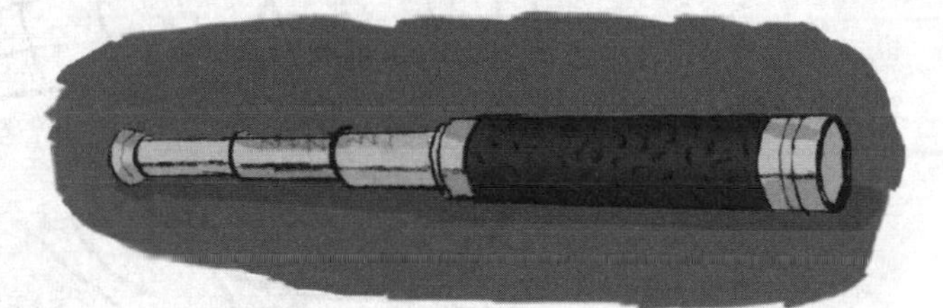

Claude

11 ans.
Leur cousine. Avec son fidèle chien Dagobert, elle est de toutes les aventures.
En vrai garçon manqué, elle est imbattable dans tous les sports et elle ne pleure jamais... ou presque !

François

12 ans
L'aîné des enfants, le plus raisonnable aussi.
Grâce à son redoutable sens de l'orientation, il peut explorer n'importe quel souterrain sans jamais se perdre !

Mick

11 ans comme Claude.
C'est un casse-cou (un gourmand aussi !) qui n'hésite jamais avant de se lancer dans les plus périlleuses aventures...

Annie

10 ans
La plus jeune, un peu gaffeuse, un peu froussarde !
Mais elle finit toujours par participer aux enquêtes, même quand il faut affronter de dangereux malfaiteurs...

Dagobert

Sans lui, le Club des Cinq ne serait rien !
C'est un compagnon hors pair, qui peut monter la garde et effrayer les bandits.
Mais surtout c'est le plus attachant des chiens...

L'ÉDITION ORIGINALE DE CET OUVRAGE A PARU EN LANGUE ANGLAISE CHEZ
HODDER & STOUGHTON, LONDRES, SOUS LE TITRE :
FIVE ON KIRRIN ISLAND AGAIN

Traduction revue par Rosalind Elland-Goldsmith.

Hachette Livre, 43 quai de Grenelle, 75015 Paris.

chapitre 1

Une lettre pour Claude

Annie essaie de venir à bout d'une montagne de devoirs lorsque Claude fait irruption dans la salle d'études. Malgré ses cheveux bouclés coupés court, Claude n'est pas un garçon mais bien la cousine d'Annie. En réalité, elle s'appelle « Claudine », mais elle déteste ce prénom parce qu'elle trouve qu'il fait trop « fille ». Elle refuse de répondre quand on l'appelle ainsi.

— Annie ! J'ai reçu une lettre de chez moi, et devine un peu ce que maman m'annonce ! Papa veut aller s'installer sur mon île pour y travailler... et, en plus, il

a l'intention de construire une espèce de tour ou quelque chose comme ça dans la cour du château !

La fillette tend la main pour prendre la lettre que Claude brandit sous son nez. Les autres élèves les observent avec amusement. À Clairbois, la pension où sont scolarisées les deux cousines, tout le monde connaît l'île en question : c'est une petite bande rocheuse qui émerge au milieu de la baie de Kernach, où se trouvent les ruines d'un vieux château ; seuls y vivent des lapins, des mouettes et des corneilles.

L'île de Kernach appartenait autrefois à Mme Dorsel, la mère de Claude. Elle l'a donnée à sa fille quand celle-ci a eu dix ans. Depuis, personne ne peut habiter ou même simplement aborder Kernach sans l'autorisation de la jeune propriétaire. Et voilà que son père décide non seulement de s'y installer, mais d'y bâtir une sorte

de laboratoire ! L'adolescente en trépigne d'exaspération.

— Les grandes personnes sont toutes comme ça ! vocifère-t-elle. Elles font des cadeaux puis agissent exactement comme s'ils leur appartenaient encore. Je ne veux absolument pas que papa s'établisse sur mon île et y plante d'affreux baraquements !

— Mais tu sais bien qu'oncle Henri a besoin d'être au calme pour travailler, tempère Annie. C'est un grand savant.

— Il y a des milliers d'endroits où il travaillerait tout aussi tranquillement, réplique la jeune fille. Moi qui espérais qu'on camperait sur l'île à Pâques, comme l'an dernier ! Si papa va là-bas, on n'aura même pas le droit d'y mettre les pieds.

Sa cousine se met à lire la lettre. Celle-ci a été écrite par Mme Dorsel et commence ainsi :

Ma chère petite Claude,

Je veux te prévenir que ton père a l'intention de s'installer pendant quelque temps sur l'île de Kernach pour y terminer un travail très important. Il fera construire un bâtiment, une sorte de tour, car il a besoin de poursuivre ses recherches dans un endroit isolé, d'un calme parfait, avec de l'eau tout autour. Je ne sais pas vraiment pourquoi, mais, visiblement, le fait d'être environné par la mer est essentiel pour ses expériences.

Ne sois pas trop contrariée, ma chérie. Tu considères Kernach comme ton bien, je le sais, mais tu dois autoriser ta famille à l'utiliser aussi, surtout lorsqu'il s'agit de choses sérieuses. Ton père s'imagine d'ailleurs que tu seras ravie de lui prêter Kernach... Mais je connais tes drôles d'idées sur la question. C'est

pourquoi je préfère t'avertir avant que tu arrives à la maison.

Annie ne lit pas la fin de la missive qui concerne d'autres questions sans intérêt pour elle. Elle se tourne vers sa cousine :

— Allez, Claude ! Sois gentille ! Je ne comprends pas pourquoi prêter Kernach te bouleverse tellement. À ta place, je serais heureuse de prêter mon île... si j'avais la chance d'en posséder une !

— Ton père à toi commencerait par t'en parler pour savoir si tu es d'accord et si ça ne t'ennuie pas, rétorque l'adolescente. Tandis que le mien fait tout ce qu'il a envie de faire sans jamais s'inquiéter des autres. Il aurait pu au moins m'écrire lui-même ! Qu'est-ce qu'il m'énerve !

— Il faut dire que tu t'énerves très facilement ! fait remarquer Annie en riant.

Mais le visage de sa cousine demeure

renfrogné. Elle se met à relire la lettre d'un air sombre. Puis elle soupire.

— Voilà tous mes beaux projets de vacances par terre, conclut-elle. Tu sais comme l'île est belle à Pâques, avec ses tapis de primevères et de genêts, sans compter les lapins, et justement tu devais venir chez nous avec Mick et François. Ça fait des mois qu'on n'a pas campé là-bas !

— Eh ! oui... je sais. On se serait bien amusés. Mais oncle Henri nous autorisera peut-être quand même à y aller ? On ne le dérangerait pas.

— Ha ! Avec papa, je t'assure qu'on ne passera pas d'aussi bons moments que quand on était seuls sur Kernach !

— Tu as raison..., acquiesce la fillette.

Il faut reconnaître qu'Henri Dorsel n'a pas un caractère particulièrement facile et, quand il est plongé en plein travail, il devient terrible. Le moindre bruit provoque une fureur noire.

— Je parie qu'il passera son temps à crier aux mouettes de se taire ! dit Annie, avec un clin d'œil. Il ne trouvera pas Kernach aussi paisible qu'il le croit !

Claude esquisse un pâle sourire et replie sa lettre.

— Tant pis, souffle-t-elle, mais j'aurais été moins fâchée si papa m'avait demandé mon avis.

— Bon, tu ne vas quand même pas perdre toute ta journée à ruminer cette histoire ! Pourquoi tu n'irais pas plutôt au chenil chercher Dag ? Il t'aura vite remonté le moral.

L'adolescente adore Dag, alias Dago ou Dagobert, gros chien sans pedigree, au pelage brun, et à la queue ridiculement longue. Il ouvre parfois si largement sa gueule qu'il semble sourire. Ce chien est si gentil, si affectueux et si vif que Claude et ses trois cousins l'ont inscrit, lui, cinquième membre du Club des Cinq ! Ils ont fondé ce groupe lors de leur première grande aventure. Car les Cinq ont connu pas mal de péripéties, résolu de nombreux mystères. Et ils sont bien décidés à poursuivre dans cette voie. De toute façon, avec Dagobert comme garde du corps, les quatre enfants ne risquent pratiquement rien.

Claude s'en va donc chercher son cher compagnon. À la pension de Clairbois, les élèves sont autorisés à garder leurs animaux favoris. Sans cela, Claude n'aurait jamais accepté d'y être scolarisée ! Elle ne peut pas supporter d'être séparée de Dagobert, ne serait-ce que pour vingt-quatre heures.

Le chien éclate en aboiements joyeux dès qu'il la sent approcher. La jeune fille perd aussitôt son air boudeur et sourit. Ce bon Dago ! Toujours fidèle, plus que ne le serait un être humain. Il prend toujours son parti, il restera son ami quoi qu'elle fasse. Pour Dag, il n'existe personne au monde qui vaille sa jeune maîtresse.

Et les voilà bientôt trottinant tous les deux à travers champs. L'adolescente explique en détail l'affaire de l'île que lui emprunte de force son père, et l'animal aboie pour dire qu'il est de son avis sur la question. Il l'écoute avec attention, en ayant l'air de comprendre tout ce qu'elle raconte. Rien ne semble pouvoir le distraire, pas même un lapin déboulant juste sous son nez. Et pourtant, Dagobert aime pourchasser les lapins ! Mais il se rend bien compte que son amie est bouleversée. Il le sent. De temps en temps, il lui donne un petit coup de langue affectueux.

Quand la jeune fille revient de sa promenade, elle est presque rassérénée. Elle fait entrer Dag par une porte de service, ce qui est strictement interdit. Elle entraîne son chien à vive allure jusqu'au dortoir. L'animal se fourre sous son lit. Sa queue bat doucement sur le plancher. Il devine que sa maîtresse a besoin de l'avoir près d'elle cette nuit-là pour se consoler. Quand les lumières s'éteindront, il sautera sur le lit et se blottira sur ses pieds. Ses yeux bruns en pétillent de joie d'avance.

— Reste bien sagement couché là, lui recommande la petite pensionnaire.

Et elle part rejoindre ses camarades. Annie est plongée dans la rédaction d'une lettre à ses frères, Mick et François. Eux aussi sont en pension, à quelques kilomètres de là.

— Je leur ai raconté ce qui se passe pour Kernach, annonce-t-elle à sa cousine. Tu aimerais venir chez nous, au lieu d'aller chez toi, à Pâques ? Tu ne t'énerverais pas tout le temps à l'idée que ton père occupe l'île.

— Non, merci, réplique aussitôt la jeune fille. Je tiens à surveiller papa ! Je n'ai aucune envie qu'il fasse sauter toute l'île pour expérimenter une de ses dernières découvertes. Il étudie les explosifs maintenant, tu sais.

— Oh ! Tu veux dire qu'il fabrique des bombes ?

— Je ne sais pas vraiment. Mais jc veux absolument avoir un œil sur Kernach. Et puis il faudra aussi qu'on entoure maman... Elle se trouvera bien seule si papa s'installe dans l'île. Je suppose qu'il y transportera des provisions et tout son matériel...

— Alors, on a au moins une bonne raison de se réjouir : si l'oncle Henri n'est pas là, on nc scra pas obligés de marcher sur la pointe des pieds et de chuchoter du matin au soir. Pour une fois, on pourra faire tout le bruit qu'on veut ! Allez, Claude, souris un peu !

Mais il faut à Claude un bon bout de temps pour surmonter sa contrariété. Mêmc la présence de Dag au pied de son lit ne réussit pas à la consoler de sa déception.

Le trimestre s'achève. Le mois d'avril pointe le nez, avec son soleil et ses

averses. Les vacances approchent de plus en plus. Annie songe avec joie à Kernach, à sa plage de sable fin, ses bateaux de pêche, sa mer bleue et ses falaises où il fait bon se promener.

Mick et François y pensent aussi. Dans quelques jours, ils retrouveront leur sœur Annie, leur cousine Claude et le brave Dagobert à la gare et ils voyageront tous ensemble jusqu'à Kernach.

La date tant attendue arrive enfin. Les bagages s'empilent dans le hall de la pension. Des parents viennent chercher leurs enfants en voiture. Les autres élèves doivent partir pour la gare en car. L'école ressemble à une énorme ruche bourdonnante. Les surveillants ont du mal à se faire entendre dans le vacarme général.

— C'est à croire que tous ces jeunes sont devenus fous ! s'écrie l'un d'eux. Ah ! voilà le car. Claude, es-tu vraiment obligée de courir à cent à l'heure dans les

couloirs avec ce chien qui aboie de toutes ses forces ?

— Oui, oui ! s'écrie l'adolescente joyeusement. Où est passée ma cousine ? Ah ! te voilà ! Viens vite ! On s'en va ! J'ai Dago avec moi. Il sait qu'on est en vacances, écoute-le ! Il n'arrête pas de japper !

Les filles grimpent dans le car en chantant. Le moteur ronfle, et le véhicule s'élance à travers la campagne en direction de la gare de la ville voisine.

— Les garçons doivent nous attendre sur le quai, affirme Annie. J'espère qu'ils n'ont pas pris de retard... Tiens, je les vois ! Ils sont là-bas !

Claude les aperçoit à son tour et crie :

— Houhou ! François ! Hou-hou, Mick ! Nous voilà !

chapitre 2

Retour à Kernach

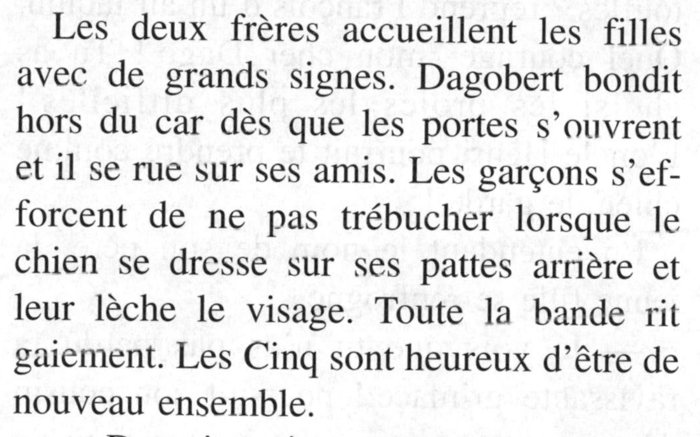

Les deux frères accueillent les filles avec de grands signes. Dagobert bondit hors du car dès que les portes s'ouvrent et il se rue sur ses amis. Les garçons s'efforcent de ne pas trébucher lorsque le chien se dresse sur ses pattes arrière et leur lèche le visage. Toute la bande rit gaiement. Les Cinq sont heureux d'être de nouveau ensemble.

— Dag, je suis content de te revoir, s'exclame Mick, mais tu as déjà manqué deux fois de me renverser ! Reste un peu tranquille. Est-ce qu'il a été sage pendant ce trimestre, Claude ?

— Oh ! oui ! acquiesce sa cousine.

Elle ajoute aussitôt :

— Il n'a dévalisé le réfrigérateur du réfectoire qu'une fois... et les pensionnaires ne peuvent pas en vouloir à Dag quand il s'amuse un peu avec leurs chaussons qui traînent !

— Alors, comme ça, notre fidèle compagnon s'attaque à de malheureuses pantoufles ? reprend François d'un air taquin. Quel courage, mon cher Dago ! Tu as choisi les proies les plus difficiles ! L'oncle Henri pourrait te prendre comme chien de garde !

En entendant le nom de son père, la jeune fille se renfrogne.

— Je vois que tu n'as pas perdu ta ravissante grimace ! poursuit son cousin Ah... on ne te reconnaîtrait plus si tu ne boudais pas au moins dix fois par jour ! J'espère que tu ne vas pas ruminer cette histoire de Kernach pendant toutes les vacances... Ton père est un homme très

intelligent, tu sais, un grand savant ! Il doit pouvoir travailler en toute liberté. Si l'oncle Henri veut s'installer sur l'île, eh bien, il faut l'accepter sans rechigner.

L'adolescente n'a pas l'air d'approuver entièrement ce petit discours ; mais elle admire beaucoup François et suit volontiers ses conseils. Son cousin est l'aîné du Club des Cinq. Il a une bonne tête de plus que les autres, des yeux francs et un visage souriant. Claude caresse Dago et répond d'une voix un peu étouffée :

— D'accord, je vais arrêter de bougonner. Mais je suis quand même très déçue. J'avais pensé qu'on irait camper sur mon petit lopin de terre pendant ces vacances.

— On est tous dépités, assure Mick. Allez, maintenant, il faut qu'on grimpe dans le train.

Et les voilà bientôt tous installés dans la voiture n° 3.

— Est-ce que vous trouvez que j'ai grandi ? demande Annie à ses frères. J'es-

pérais rattraper Claude à la fin de ce trimestre, mais elle a pris quelques centimètres elle aussi.

— Oui, tu as encore un effort à faire, plaisante François. Oh ! Regardez Dago ! Il veut observer le paysage par la fenêtre !

— Ouah ! confirme le chien en se dressant contre la vitre.

Comme toujours, il a l'air de comprendre ce que disent les enfants.

Cécile Dorsel, la mère de Claude, est venue les chercher à la gare. Elle attend les jeunes vacanciers sur le quai. Dès l'ouverture des portières, les enfants sautent du train et se précipitent à son cou pour l'embrasser.

François, Mick et Annie demandent des nouvelles de l'oncle Henri.

— Il va bien, affirme leur tante en s'installant derrière le volant. Je ne l'ai jamais vu aussi joyeux. Il est très satisfait de la progression de son travail.

— Sur quoi portent ses recherches ? interroge l'aîné des Cinq.

— Oh ! Il ne m'en parle jamais. Quand il est plongé dans ses expériences, il ne dit pas un mot de ce qu'il fait, sauf à ses collègues, bien entendu. Mais je sais qu'il est chargé de faire une découverte de la plus haute importance... et il doit terminer ses travaux dans un endroit entièrement entouré d'eau. Ne me demandez pas pourquoi, je ne pourrais pas vous répondre.

— Eh ! voilà Kernach ! s'écrie soudain Claude.

Ils sont parvenus à un tournant, en pleine vue sur la mer. La curieuse petite île avec son château en ruine semble monter la garde à l'entrée de la baie. Le soleil brille sur la mer bleue, et l'île n'en a l'air que plus merveilleuse. La jeune propriétaire l'examine, cherchant le bâtiment, hangar ou maison, dont son père a, paraît-il, besoin. Ses cousins ont eux aussi la tête

tournée vers le petit bout de terre. Au centre du château, probablement dans la cour, les enfants aperçoivent une tour haute et mince qui ressemble à un phare. Elle se termine par une cage vitrée qui brille au soleil.

— Oh ! maman, je n'aime pas ça ! se plaint la maîtresse de Dagobert. Ce bâtiment gâche complètement Kernach !

— Ma chérie, répond Mme Dorsel, ce n'est qu'une construction temporaire en matériaux légers. Ton père m'a promis de la faire démonter dès qu'il n'en aurait plus besoin. Il m'a dit que tu pouvais aller la voir de près si tu en as envie.

— Oh ! oui, allons-y ! intervient aussitôt Annie. Cette tour est vraiment bizarre. Est-ce que l'oncle Henri est tout seul là-bas ?

— Oui, et ça m'inquiète un peu. D'abord, je suis sûre qu'il ne mange pas comme il faut. Et puis, s'il lui arrivait un accident, personne ne me préviendrait.

J'ai toujours peur que ses expériences ne tournent mal.

— Pourquoi ne pas utiliser cette espèce de phare pour faire des signaux ? propose François. Ce serait facile. Oncle Henri pourrait se servir d'une glace pour refléter le soleil, tous les matins, et nous faire savoir qu'il va bien. Et le soir, il utiliserait une lampe.

— Oui, c'est une bonne idée. Je le lui avais déjà suggéré. Et je l'ai prévenu que nous lui rendrions visite demain. Nous lui parlerons des signaux lumineux.

— Demain ? s'étonne Claude. Je n'arrive pas à croire que papa accepte qu'on débarque sur le lieu de ses recherches et qu'on inspecte sa précieuse tour. En tout cas, moi, je n'irai pas. C'est mon île, et je ne supporterai pas de la voir entre les mains de quelqu'un d'autre.

— Oh ! non, ne recommence pas, soupire Mick. Toi et ton île ! Tu es vraiment la reine des râleuses !

Tous rient, sauf la principale intéressée et tante Cécile. Cette dernière paraît soucieuse. Sa fille a un caractère difficile. Si seulement elle avait la douceur et la gentillesse de ses cousins...

L'adolescente voit le visage tourmenté de sa mère et regrette son mouvement d'humeur. Elle pose la main sur son genou.

— Ne t'inquiète pas, maman, je ne ferai pas d'histoires. Je te le jure. Je sais que le travail de papa est très important. J'irai avec vous tous à Kernach, demain.

François lui administre une bourrade amicale.

— Sacrée Claude ! Non seulement tu as appris à céder mais, en plus, à céder avec le sourire. Tout à fait le comportement d'un garçon...

Sa cousine se rengorge, ravie du compliment. Elle a toujours regretté d'être une fille. Mais Annie ne réagit pas de la même façon.

— Il n'y a pas que les garçons qui savent prendre sur eux ! Regardc-moi, par exemple : je ne suis pas quelqu'un de mesquin ou de borné ! s'écrie-t-elle avec indignation.

— Oh ! ne vous disputez pas, mes enfants ! supplie tante Cécile. De toute façon, nous sommes arrivés. Regardez, la maison est ravissante avec ces primevères, ces giroflées qui commencent à fleurir et ces coucous qui poussent partout ! C'est Sylvie, la nouvelle cuisinière, qui m'aide à entretenir le jardin. Allez lui dire bonjour : elle a très envie de faire votre connaissance.

Les quatre vacanciers et le chien sortent de la voiture, ravis d'être enfin de retour. Ils entrent en trombe dans la villa où ils trouvent la jeune employée, venue seconder tante Cécile pendant les vacances. Elle les accueille d'un air radieux et caresse Dagobert quand il cabriole autour d'elle en aboyant.

— Comme je suis contente de vous rencontrer ! Vous avez fait bon voyage ? Je vais vous aider à sortir les bagages du coffre.

Les enfants et Sylvie déchargent les sacs. François et Mick montent tout au premier étage. Annie les rejoint en courant ; elle a hâte de revoir sa chambre. C'est merveilleux d'être de nouveau à Kernach ! Elle jette un coup d'œil par les fenêtres. L'une donne sur la lande, l'autre permet d'apercevoir la mer. Une vue splendide !

— Tu sais, Mick, dit la fillette quand ce dernier entre avec la valise de Claude, je suis vraiment contente que l'oncle Henri ait eu l'idée de s'installer dans l'île, même si ça doit nous empêcher d'y aller. Je me sens beaucoup plus à l'aise dans la maison quand il n'y est pas. Il est très intelligent, et parfois très gentil... mais il me fait toujours un peu peur.

Mick se met à rire.

— Je ne peux pas dire que j'ai peur de lui, mais je dois avouer qu'il s'énerve souvent quand on passe les vacances ici.

Une voix s'élève soudain dans l'escalier :

— Venez goûter, les enfants ! Il y a des tartes tout juste sorties du four pour vous.

— On arrive, tante Cécile !

Les Cinq dévalent l'escalier pour chercher Annie. Elle est heureuse d'être enfin arrivée. Quant à Dagobert, il s'est lancé dans une inspection approfondie des moindres coins et recoins de la maison.

— C'est son habitude, explique Claude. Il a besoin de s'assurer que les meubles ont la même odeur qu'avant son départ. Allez, mon chien, viens goûter.

Ils s'asseyent tous autour d'une grande nappe étendue sur l'herbe du jardin. Sylvie y a disposé des gâteaux, des fruits, des yaourts, du pain et des confitures. Elle a dû passer toute la journée à préparer ce copieux repas. Mais il ne restera proba-

blement pas de quoi nourrir un moineau affamé après le passage du Club des Cinq !

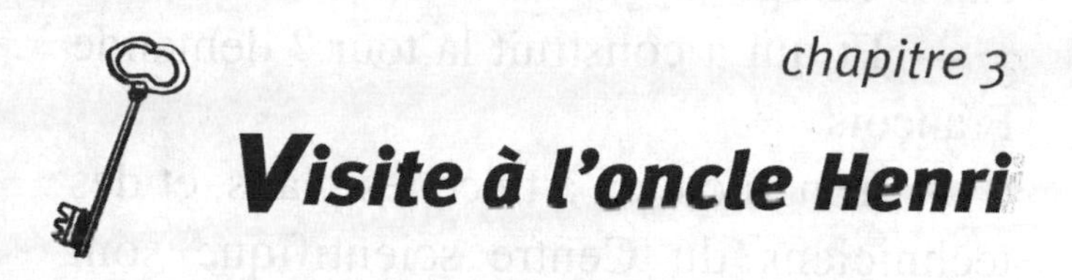

chapitre 3

Visite à l'oncle Henri

Le lendemain, le temps est beau et chaud.

— Nous partirons pour Kernach ce matin, annonce tante Cécile. Et nous emporterons de quoi déjeuner, car je suis sûre que votre oncle aura oublié notre visite.

– Est-ce que papa a un bateau ? questionne Claude. Maman... il n'a pas réquisitionné *mon* bateau, hein ?

— Non, ma chérie, il en a un autre. J'ai craint qu'il ne parvienne pas à le manœuvrer au milieu des écueils de Kernach, mais il a demandé à l'un des pêcheurs de

l'emmener et de prendre en remorque un canot chargé de matériel.

— Et qui a construit la tour ? demande François.

— Ton oncle en a tracé les plans, et des techniciens du Centre scientifique sont venus l'installer. Tout cela était très secret. Les gens de la région mouraient de curiosité, mais finalement ils n'en savent pas plus que moi. Seuls deux ou trois pêcheurs ont assuré le transport des matériaux sur l'île.

— C'est bien mystérieux, tout ça ! constate Mick. Oncle Henri mène décidément une vie palpitante. J'aimerais bien être un savant plus tard...

— Moi, j'ai l'intention de devenir médecin pour sauver des vies, déclare à son tour Annie.

— Et moi, je vais voir mon bateau, conclut Claude que ce genre de conversation ennuie.

Elle sait très bien à quoi elle consacrera

son temps quand elle sera adulte : elle habitera le château de Kernach en compagnie de Dagobert.

Tante Cécile prépare un panier plein de sandwichs pour le pique-nique. Elle est ravie à l'idée de cette excursion. Elle n'a pas vu l'oncle Henri depuis plusieurs jours, et elle a hâte de s'assurer que tout va pour le mieux.

L'aîné des Cinq se charge du panier, et tout le monde se rend à la plage. Ils y retrouvent Claude en compagnie de Jean-Jacques, jeune pêcheur du voisinage et grand ami de Claude, qui les attend, prêt à pousser le bateau au large quand ils auront embarqué.

Il adresse un large sourire aux arrivants. Il connaît bien François, Mick et Annie, et Dago mieux encore, car il l'a hébergé quelque temps, alors que l'oncle Henri l'avait banni de la maison. Claude n'a jamais oublié sa gentillesse et va souvent

lui rendre visite quand elle est à Kernach pour les vacances.

— Alors, vous partez pour l'île ? lance-t-il. Il y a une drôle de bâtisse au milieu ! On dirait un phare. Laissez-moi vous aider à monter.

Il tend la main à tante Cécile qui s'installe dans le canot. Ses neveux l'y suivent avec Dagobert. Sa fille prend les rames. Jean-Jacques pousse la barque et ils voguent sur l'eau calme et claire, si transparente qu'Annie pourrait compter les galets au fond.

Claude, épaulée par François, rame avec vigueur.

La petite embarcation vole littéralement à la surface de l'eau. Les passagers entonnent une chanson de marin. C'est magnifique de se retrouver dans un bateau sur la mer. Ah ! si les vacances pouvaient ne pas passer trop vite...

— Ma chérie, tu feras bien attention aux écueils, n'est-ce pas ? recommande

tante Cécile avec une certaine nervosité quand ils approchent de l'île. L'eau est si pure aujourd'hui que je les vois nettement... et il y en a qui affleurent.

— Oh ! maman, tu sais très bien que j'ai débarqué des centaines de fois sur l'île ! s'écrie la jeune navigatrice en riant. Je serais incapable de m'échouer sur un de ces rocs. Je les connais tous. Je crois que je pourrais pagayer les yeux bandés.

Il n'y a qu'un endroit où l'on peut aborder à Kernach en toute sécurité. C'est une petite anse sablonneuse qui forme un port naturel, protégé de tous les côtés par de hauts récifs. Claude et François se dirigent vers l'est de l'îlot, évitant habilement une longue ligne basse de rochers très découpés, et aboutissent à la passe d'eau calme. Tandis que les autres manient les avirons avec habileté, Annie observe les lieux. Les ruines du vieux château de Kernach se dressent toujours au centre de l'île et ne paraissent pas avoir changé. Les tours

de pierre sont un repaire de corneilles jacassantes, comme d'habitude. Et le lierre recouvre presque entièrement les murs.

— C'est un endroit magique..., murmure Annie.

Puis elle examine l'étrange édifice planté au milieu de la cour d'honneur. Il est construit en une sorte de matière brillante découpée en plaques ajustées les unes aux autres. Il a dû être conçu pour être facilement transportable.

— Regardez la cabine vitrée au sommet, commente Mick. On dirait une tour de guet. Je me demande à quoi elle sert. Est-ce qu'on peut y monter, tante Cécile ?

— Il y a un escalier en spirale à l'intérieur. C'est à peu près tout ce que vous trouverez dans cette bâtisse. Le point essentiel, c'est le sommet vitré. Il est plein de fils entremêlés qui ont une importance capitale pour les travaux de votre oncle.

— J'aimerais bien grimper là-haut, déclare la benjamine du Club des Cinq.

— Qui sait ? Ton oncle le permettra peut-être...

— S'il est de bonne humeur, ajoute Claude.

— Allons, ne dis pas des choses comme ça, gronde sa mère.

La barque entre dans la crique. La quille racle légèrement le fond. Il y a déjà un autre bateau couché sur le sable, celui de l'oncle Henri.

Claude et François sautent dans l'eau et tirent le canot au sec pour que les autres passagers ne se mouillent pas les pieds en débarquant. Dag bondit sur la plage en aboyant joyeusement.

— Dag ! s'exclame sa maîtresse d'un ton significatif.

Et le pauvre chien contemple la jeune fille d'un œil désespéré. Veut-elle vraiment l'empêcher de partir à la recherche

de lapins ? Seulement pour les *voir*, évidemment. Cela n'a rien de méchant...

Ah !... un lapin ! Et un autre... et encore un autre. Assis sur leur arrière-train, ils examinent le groupe qui remonte la plage. Ils agitent leurs oreilles et frémissent du nez, mais ne bougent pas.

— Oh ! qu'ils sont mignons ! s'attendrit Annie. Regardez donc le petit, là-bas. Il se débarbouille !

Ils s'arrêtent pour observer les bestioles. Celles-ci n'ont pas peur du tout. Il faut dire que les visites sont extrêmement rares à Kernach, et les lapins y vivent en toute tranquillité.

— Vous avez vu celui-ci...

La fillette n'a pas le temps d'achever sa phrase. Dago, n'y tenant plus, a bondi en direction des animaux, stupéfaits. En un clin d'œil, des dizaines de queues blanches disparaissent les unes après les autres dans leurs terriers.

— *Dagobert !* appelle Claude d'une voix fâchée.

Et le pauvre chien, l'oreille basse, adresse un regard suppliant à sa maîtresse.

— Où est l'oncle Henri ? demande Mick quand leur troupe atteint la grande arcade en ruine.

Il y a là des marches qui conduisent au centre du château. Elles sont très ébréchées. Tante Cécile avance avec prudence, car elle ne veut pas risquer une chute. Mais les enfants, qui portent des sandales à semelles de caoutchouc, gravissent les degrés avec légèreté.

Ils passent sous la voûte d'un ancien rempart et débouchent dans ce qui a dû être autrefois une vaste cour au sol pavé. Maintenant le sable et les plantes sauvages ont presque entièrement recouvert les dalles. À l'origine, le château avait deux tours. À présent, l'une n'est plus que ruines. L'autre a mieux résisté aux intempéries. Des choucas volent en cercle autour et viennent planer au-dessus de la tête des enfants.

— Claude, ton père s'est probablement installé dans la salle aux deux meurtrières, estime François. C'est le seul endroit qui soit encore en bon état. On y avait dormi une nuit, vous vous souvenez ?

— Oui ! C'était génial ! s'écrie sa cousine. On s'était bien amusés. Tu as raison, papa a dû y établir son campement... à moins qu'il n'ait préféré les souterrains !

— Tu... tu es folle ! bégaie Annie. Personne ne séjournerait dans ces oubliettes à moins d'y être forcé. Il y fait trop noir et trop froid.

— Et toi, maman. Tu sais où on pourrait trouver papa ? interroge l'adolescente. Où est son laboratoire ?... Là-bas ?

Elle désigne une voûte et des murs tout entiers faits de pierres. Ceux-ci abritent la seule salle subsistant de ce qui fut, jadis, le corps principal du château. Un épais rempart la domine.

— Je n'en sais rien, avoue tante Cécile. Je suppose que son laboratoire est dans cette pièce, puisque c'est le seul endroit qui soit bien à l'abri. Chaque fois que je suis venue lui rendre visite sur l'île, Henri est venu à ma rencontre dans la crique. On a bavardé et déjeuné sur la plage. Il n'avait pas l'air de souhaiter que je me promène dans l'île.

— Appelons-le, propose Mick.

Alors ils crient tous à tue-tête : « Oncle Henri ! Où es-tu ? »

Les choucas affolés s'envolent de leur perchoir et quelques mouettes qui se dorent au soleil sur des débris de rempart augmentent le vacarme en protestant dans leur langage. Quant aux lapins, ils disparaissent comme par enchantement.

Mais le savant reste invisible. Les enfants hurlent son nom.

— Quel boucan ! s'exclame la mère de Claude en se bouchant les oreilles. Sylvie a dû vous entendre depuis la maison.

Je me demande vraiment où se cache votre oncle. C'est agaçant. Je lui avais pourtant bien dit que je vous amènerais ici aujourd'hui.

— Il n'est sûrement pas loin, la rassure François. Mais il s'est probablement plongé dans un livre et nous a oubliés. Il n'y a qu'à se lancer sur sa piste.

— Allons voir dans la petite salle en pierre, propose Annie.

Ils se dirigent vers l'entrée voûtée et pénètrent dans une pièce sombre, éclairée seulement par deux fenêtres en meurtrière. À l'une des extrémités, l'épais mur est creusé comme pour ménager la place à une cheminée.

— Bizarre... Il n'est pas là ! s'étonne Mick. Pas plus que ses provisions, ses vêtements, ses livres, ou ses instruments de travail !

— Alors il s'est installé dans les souterrains, conclut Claude. Son travail l'y a peut-être obligé. Rappelez-vous ce qu'a

dit maman : il lui faut être entouré par de l'eau. Puisqu'on sait où cst l'entrée des souterrains, allons-y. Elle se trouve tout près d'ici, à côté du vieux puits, au milieu de la cour.

— Oui, tu as raison ! approuve François. Oncle Henri doit être là-dessous. Tante Cécile, tu viens avec nous ?

— Oh ! non. Je ne supporte pas ces oubliettes. Je me mettrai au soleil, dans ce coin abrité, ct je déballerai les sandwichs pendant que vous descendrez. C'est presque l'heure du déjeuner.

— Super ! crient en chœur les jeunes explorateurs.

Ils se précipitent vers l'entrée des souterrains. Ils s'attendent à voir la dalle de la grande trappe relevée, ouvrant le passage vers l'escalier.

Mais le lourd disque de pierre est à plat dans l'herbe. Mick s'apprête à tirer sur l'anneau central pour le soulever lorsqu'il remarque quelque chose de bizarre.

— Regardez, marmonne-t-il. Il y a de l'herbe tout autour de la pierre. Personne ne l'a remuée depuis des mois ! Oncle Henri n'est donc pas dans les souterrains.

Un silence s'abat sur la petite troupe. Puis, lentement, Annie articule :

— Mais alors... il est où ?

chapitre 4

Où est donc l'oncle Henri ?

Ils s'asseyent tous les quatre en cercle autour de la dalle qui obstrue l'accès aux oubliettes. Dagobert flaire les herbes entre leurs pieds. Mick a raison : le disque de pierre n'a pas été soulevé depuis des mois, car les plantes sauvages ont foisonné, enfonçant leurs frêles racines dans le moindre interstice, cimentant presque l'entrée du souterrain.

— Il n'y a personne là-dessous, affirme François. On n'a même pas besoin d'y descendre pour vérifier. Si la dalle avait été déplacée ces derniers temps, les herbes auraient été écrasées ou déracinées.

— D'ailleurs, personne ne peut sortir du souterrain une fois l'entrée bouchée, ajoute Claude. La pierre est trop lourde. Papa n'aurait pas été assez bête pour se laisser enfermer là-dessous.

— Mais alors, s'il n'est pas là, où peut-il bien être ? interroge Annie.

— C'est toute la question, réagit sa cousine. *Où ?* L'île est minuscule et on en connaît les moindres recoins. Il est peut-être dans la caverne où on s'était réfugiés une fois ? C'est la seule de Kernach.

— C'est possible, répond François, mais j'en doute. Je ne vois pas l'oncle Henri s'introduire dans cet antre par le trou de la voûte. Et on ne peut pas y arriver autrement, à moins d'escalader les rochers de la plage, ce qui prend un temps fou. Je n'imagine pas ton père faisant ça non plus.

Ils traversent l'île pour aller vers leur caverne. L'accès par la grève est malaisé, car il faut franchir des rocs glissants cou-

verts d'algues, et l'accès par la falaise ne l'est guère moins : lors de leur précédent séjour sur l'île, les enfants ont dû installer une corde pour faciliter la descente par le trou de la voûte.

Ils retrouvent facilement l'emplacement, à demi dissimulé sous les bruyères. La corde y est toujours.

— Je vais descendre, annonce François.

La ficelle, encore en parfait état, comporte des nœuds régulièrement espacés, ce qui donne un point d'appui pour les pieds et permet de glisser jusqu'en bas lentement, sans s'écorcher les mains.

L'aîné des Cinq atteint bientôt le sol de la caverne. Elle est vaguement éclairée par l'ouverture donnant sur le large. Le jeune garçon a vite terminé son inspection. Il n'y a absolument rien, à part une vieille boîte oubliée lors de leur dernier séjour. Il remonte. En apercevant sa tête

qui surgit de la bruyère, Mick s'avance pour lui prêter une main secourable.

— Alors, presse-t-il, tu as trouvé trace de l'oncle Henri ?

— Non, il n'y est pas et n'y a jamais mis les pieds, à mon avis. C'est un vrai mystère : où est-il et où est son matériel ? On sait qu'il en a pas mal, puisque tante Cécile nous l'a dit.

— Il est peut-être dans la tourelle ! s'écrie soudain Annie. Il aurait toute la place qu'il lui faut dans la petite salle vitrée du sommet.

— Mais non ! rétorque sa cousine. Il nous aurait aperçus tout de suite ! Et il nous aurait entendus aussi. Enfin, allons-y voir quand même...

Ils retournent donc au château et s'approchent de la drôle de tour. Tante Cécile les appelle :

— Votre déjeuner est prêt. Venez manger. Votre oncle ne tardera pas, je pense.

— Mais où est-il, tante Cécile ? ques-

tionne la benjamine du groupe, très intriguée. On a cherché partout !

La mère de Claude ne connaît pas l'île aussi bien qu'eux. Elle croit que Kernach recèle une multitude d'endroits abrités où l'on peut travailler tranquillement.

— Ne vous inquiétez pas, mes enfants, assure-t-elle. Il arrivera tout à l'heure. Venez manger.

— On peut d'abord courir à la tour ? demande Claude. Au cas où il y serait...

Les quatre, escortés de Dagobert, se rendent au milieu de la cour, où se dresse la tourelle. Ils tâtent de la main les plaques arrondies, brillantes et lisses, qui s'ajustent avec précision les unes aux autres.

— Je me demande ce que c'est, murmure Mick.

— Une espèce de matière plastique, estime François. C'est léger, résistant et facile à assembler.

— Je mourrais de peur que le vent la

fasse tomber s'il y avait une bourrasque, commente sa cousine.

— Oui, moi aussi, acquiesce Annie. Eh ! voici la porte.

Cette dernière est petite et arrondie en haut. Il y a une clé dans la serrure. L'aîné de la bande tourne l'instrument vers la droite. Le battant se tire vers l'extérieur. Les jeunes explorateurs passent la tête à l'intérieur. Ils n'aperçoivent qu'un escalier minuscule en matière luisante comme les parois de la tourelle, qui s'élève en spirale jusqu'au sommet. Il y a aussi d'étranges objets ressemblant à des crochets en acier et reliés par des fils.

— Mieux vaut ne pas y toucher, recommande Mick, qui les examine avec curiosité. On se croirait dans une tour de contes de fées. Allez, moi, je monte au sommet !

Il se met à gravir l'escalier en colimaçon qui est très raide. La tête lui tourne

presque à force de grimper constamment en rond.

Les autres l'imitent. Des fenêtres étroites comme des meurtrières donnent de temps en temps un peu de jour. François regarde par l'une d'elles : il y a une vue merveilleuse sur la mer et la côte.

Les Cinq continuent leur ascension jusqu'à une petite salle circulaire dont les parois sont en verre étincelant et très épais. Des fils passent dans l'épaisseur du verre et pendent librement à l'extérieur, scintillant au soleil, balancés par le vent assez fort qui souffle autour de la tourelle.

Il n'y a rien d'autre dans cette salle ! Pas trace d'oncle Henri !

La tourelle sert uniquement à conduire les câbles depuis le sol jusqu'à la paroi vitrée pour qu'ils aboutissent à l'air libre. Mais pourquoi ? Est-ce une sorte de radar ? Ces courroies captent-elles des ondes comme celles de la radio ? Claude

plisse le front en cherchant à déchiffrer cette nouvelle énigme.

Dag demeure immobile, la langue pendante : la montée de l'escalier en colimaçon l'a épuisé.

— Oh ! s'exclame soudain Annie. Mais vous avez remarqué la vue ? Elle est splendide, non ? On voit la mer à des kilomètres et, même, on aperçoit par là des collines dans le lointain.

— Oui, oui, c'est superbe, grommelle sa cousine. Mais pour l'instant, nous avons des préoccupations plus graves : où est passé mon père ? Vous pensez qu'il a quitté l'île ?

— En tout cas, son bateau est à sec dans la crique, remarque Mick. Souvenez-vous, on l'a vu en arrivant.

— Alors l'oncle Henri est sûrement sur l'île, conclut François, mais ni dans le château, ni dans les souterrains, ni dans la caverne, ni dans cette tour. C'est un vrai mystère !

— Regardez, dit Annie en se collant à la verrière, notre pauvre tante Cécile se morfond en nous attendant. On ferait bien de descendre la rejoindre : elle nous appelle à grands signes.

— D'accord, acquiescent ses compagnons.

— De toute façon, on étouffe dans cette cabine, estime l'aîné des Cinq. Oh ! là ! Vous avez senti la tour trembler quand le vent l'a secouée ? Partons avant que tout s'écroule !

Ils commencent à descendre en se tenant aux parois vitrées. Les marches sont si raides que les enfants ont peur de tomber. Et non sans raison, car ils manquent bien de perdre l'équilibre lorsque Dagobert les dépasse à toute vitesse et dégringole l'escalier avec une aisance remarquable.

Ils sont bientôt tous en bas. Mick referme la porte.

— Fermer une porte à clé ne sert pas

à grand-chose quand on laisse la clé dans la serrure, remarque-t-il. Mais puisque c'était comme ça...

Les Cinq rejoignent tante Cécile qui les gronde gentiment :

— J'ai cru que je ne vous reverrais plus de la journée ! Vous avez trouvé quelque chose d'intéressant ?

— Rien qu'une vue magnifique..., répond sa nièce. Mais aucun signe de notre oncle. C'est très bizarre. On a fouillé toute l'île et pourtant il n'y est pas.

— Bien que son bateau soit dans la crique, ajoute Claude. Ce qui prouve qu'il n'a pas quitté Kernach.

— Oui, c'est curieux, en effet, acquiesce tante Cécile en distribuant les sandwichs. Mais si vous connaissiez Henri aussi bien que moi, vous ne vous étonneriez pas. Il réapparaît toujours au bon moment. Il a simplement oublié que je vous amenais aujourd'hui. Je ne suis pas inquiète. Il finira bien par nous rejoindre.

— Mais en attendant, où se cache-t-il ? insiste Mick en dévorant un délicieux sandwich au pâté. Il a disparu comme par magie.

— Quand il arrivera, il vous expliquera tout. En attendant, resservez-vous de sandwichs. Non, pas toi, Dag. Tu en as déjà eu trois. Claude, s'il te plaît, écarte le museau de ton chien. Il va tout dévorer.

— Il a faim, lui aussi, maman.

— Je lui ai apporté des croquettes.

— Oh ! comme si Dagobert allait manger des biscuits pour animaux quand il peut avoir un vrai casse-croûte !

Ils se sont assis en cercle sous le chaud soleil d'avril et mangent avec appétit. Pour boire, il y a de l'orangeade bien fraîche. Quant au fidèle compagnon de Claude, il se dirige vers un creux de roc plein d'eau de pluie. On l'entend laper avec entrain.

— Il a vraiment une mémoire formi-

dable ! s'écrie sa maîtresse. Il y a des mois qu'il n'est pas venu ici, mais il s'est souvenu de cette flaque dès qu'il a eu soif.

— C'est étrange qu'il n'ait pas flairé la piste de l'oncle Henri, non ? fait observer Mick.

— C'est vrai... reconnaît François.

— Le plus bizarre, c'est que papa reste introuvable. Et je m'étonne que tu prennes ça si calmement, maman.

— Je te l'ai déjà dit, ma chérie, je connais mieux ton père que vous tous. Il nous rejoindra quand ça lui conviendra. Je me rappelle cette fois où il étudiait je ne sais plus quoi dans une grotte. Il a disparu dans les stalagmites et les stalactites pendant près d'une semaine. Quand il a eu fini ses recherches, il est ressorti tout tranquillement.

— C'est bizarre que...

Annie s'arrête. Un bruit étrange résonne, une sorte de grondement sourd.

Puis un sifflement part du haut de la tour, et tous les fils qui se balancent au sommet s'illuminent comme si la foudre les avait frappés.

— Ah, j'étais bien sûre que votre oncle n'était pas loin, affirme tante Cécile. J'avais déjà remarqué ce bruit quand je suis venue ici, mais je ne m'étais pas rendu compte de sa provenance.

— De sa provenance ? répète Mick. Mais ce ronflement semble monter de dessous nos pieds ! Voilà qui rend cette journée encore plus mystérieuse.

Le vrombissement ne se reproduit pas. Les jeunes vacanciers attaquent les petits pains fourrés de confiture.

Et tout à coup Annie pousse un hurlement strident.

— Là-bas ! Regardez !

Ses compagnons suivent aussitôt des yeux l'index tendu de la fillette. Il désigne la tour de verre.

chapitre 5

Un mystère impénétrable

Toutes les têtes se tournent d'un même mouvement.

— Voilà oncle Henri ! Là, là... près de la tour ! Il observe les corneilles ! poursuit Annie.

C'est bien l'oncle Henri qui, les mains dans les poches, contemple d'un air absorbé les corneilles perchées sur la tour. Il n'a aperçu ni sa femme ni les enfants. Dag se dresse d'un bond et gambade jusqu'à lui. Puis il aboie. Le père de Claude sursaute, pivote sur ses talons et découvre Dag, puis les autres qui le scrutent avec stupeur.

— Ça, c'est une surprise ! s'écrie-t-il en s'approchant à pas lents. Je ne pensais pas que vous débarqueriez ici aujourd'hui.

— Oh ! Henri..., soupire son épouse. Je l'avais pourtant inscrit sur ton carnet. Devant toi.

— Ah ! oui ? C'est bien possible. Mais je n'ai pas touché à mon carnet depuis. Rien d'étonnant à ce que j'aie oublié !

Il embrasse tout le monde.

— Oncle Henri, où tu étais caché ? interroge Mick qui brûle de curiosité. On t'a cherché partout.

— J'étais dans mon laboratoire, répond le savant sans ajouter d'autres précisions.

— Ah... et il est où, ce laboratoire ? insiste son neveu. On s'est creusé la cervelle pour deviner où tu pouvais bien avoir installé ton matériel... On est même montés dans la tour pour voir si tu n'étais pas dans cette drôle de petite cabine au sommet.

— *Quoi !* Là-haut ?

Son oncle est pris d'une colère explosive.

— Vous êtes complètement irresponsables ! poursuit-il. Vous risquiez de ne pas en redescendre vivants. Je viens de terminer une expérience et tous les fils de la tour sont branchés !

— Oui... on a remarqué qu'ils grésillaient bizarrement, reconnaît François.

— Vous n'avez pas à me déranger dans mon travail ! vocifère son oncle. Comment avez-vous réussi à entrer dans ce bâtiment ? J'avais verrouillé la porte !

Les enfants demeurent interdits. Puis Claude prend la parole, un sourire en coin.

— Oui, elle était bien fermée, mais tu avais laissé la clé dans la serrure ! Tu es tellement tête en l'air, papa !

— Ah ! voilà où était cette maudite clé ! s'exclame son père. C'est au moins une bonne nouvelle : je croyais l'avoir

perdue. Mais ne retournez plus là-bas ! C'est très dangereux.

— Oncle Henri, tu ne nous as toujours pas dit où était ton laboratoire, reprend Mick qui est bien décidé à obtenir une réponse précise.

— Je les avais prévenus que tu finirais par arriver, Henri, déclare tante Cécile. Mais dis-moi, as-tu mangé régulièrement ? Je t'avais laissé un bon potage qu'il suffisait juste de réchauffer.

— Ah ! bon ? Je ne m'en souviens plus. Quand je travaille, je ne me préoccupe pas des repas. Mais si personne ne veut plus de ces sandwichs, je les mangerai avec plaisir.

Il commence à les engloutir l'un après l'autre, comme s'il mourait de faim. Sa femme le regarde d'un air consterné.

— Oh ! j'ai l'impression que tu n'as rien avalé depuis ma dernière visite. J'ai bien envie de m'installer ici pour veiller sur toi.

Le savant arbore une expression encore plus consternée que tante Cécile :

— Surtout pas ! Je ne veux pas être dérangé dans mon travail. Je suis en train d'étudier une question extrêmement importante.

— Est-ce que c'est une véritable découverte ? Quelque chose que personne ne connaît ? questionne Annie admirative.

L'oncle Henri est vraiment quelqu'un de formidable.

— Eh bien... je n'en sais rien, réplique-t-il en saisissant deux sandwichs à la fois. La seule chose dont je sois sûr, c'est qu'il me faut être entouré d'eau ; c'est une des raisons pour lesquelles je suis venu ici. J'ai l'impression que certaines personnes mal intentionnées en connaissent plus sur mes expériences qu'elles ne le devraient. Au moins, sur cette île, je suis tranquille.

— Est-ce que tu veux bien nous révéler où se trouve ton laboratoire ? supplie

Mick qui ne supporte plus d'attendre pour avoir la solution du mystère.

— N'ennuie donc pas ton oncle, intervient tante Cécile, ce qui contribue à irriter le jeune garçon. Laisse-le déjeuner en paix. Il a l'estomac vide depuis bien trop longtemps !

— Oui, mais..., tente son neveu.

— Obéis à ta tante ! l'interrompt le chercheur. Arrête un peu de me harceler. Pourquoi tiens-tu tellement à connaître l'endroit où je travaille ?

— C'est seulement qu'on a passé l'île au peigne fin, mais on ne t'a pas trouvé.

— Alors votre peigne n'était pas aussi fin que vous le pensiez ! réplique l'oncle Henri en se saisissant allégrement de l'avant-dernier petit pain à la confiture. Oh ! Ce chien me souffle dans le cou en espérant que je lui donnerai une bouchée ! C'est non, Dagobert ! Entendu ? Non !

Claude entraîne l'animal un peu plus loin. Sa mère regarde le savant engloutir

les dernières miettes du pique-nique. Tous les sandwichs qu'elle pensait garder pour le goûter ont disparu.

— Henri, tu es sûr que tu ne cours aucun risque, ici ? demande-t-elle. Tu ne crois pas qu'on pourrait venir t'espionner ?

— Impossible. Aucun avion ne peut atterrir sur l'île et aucun bateau ne survivrait au banc d'écueils qui l'entoure. Les vagues sont beaucoup trop fortes pour qu'un nageur se risque entre les rochers.

— François a suggéré que tu nous envoies des signaux matin et soir, ajoute tante Cécile. Ça me rassurerait. Et si tu refuses, je viendrai ici tous les jours, menace-t-elle avec un sourire.

Et nous avec elle, ajoute malicieusement Annie.

Cette idée paraît accabler son oncle.

— D'accord, je vous enverrai ces fameux codes. De toute façon, je dois monter dans la tourelle toutes les douze

heures pour rebrancher les fils. J'en profiterai pour m'acquitter de cette petite corvée. À dix heures et demie, le matin, et à dix heures et demie, le soir.

— Tu te serviras de quoi, le matin ? demande François. D'un miroir ?

— Oui, c'est une excellente idée. Ce sera très facile. Et je prendrai une lanterne le soir. Je vous adresserai six éclats lumineux à dix heures et demie. Mais attention : je commencerai seulement demain matin. N'attendez pas de signaux ce soir ! Bon, il est temps de partir. Il faut que je me remette au travail. Je vous accompagne jusqu'à la crique.

— Mais on a prévu de rester ici jusqu'à l'heure du goûter ! proteste Claude.

— Non, je préfère que vous vous en alliez maintenant, rétorque son père en se levant. En route ! Je vous ramène au bateau.

— Mais, papa, il y a des siècles que je n'ai pas vu mon île ! s'écrie sa fille

indignée. Je voudrais y rester un peu plus de cinq minutes ! Il n'y a aucune raison de rentrer si vite à la maison.

— Vous m'avez dérangé assez longtemps comme cela. J'ai beaucoup à faire.

— On sera très sages, oncle Henri ! s'écrie Mick à son tour, car il grille toujours d'envie de savoir où se trouve le laboratoire de son oncle.

Pourquoi ne le leur révèle-t-il pas ? Simplement par mauvaise humeur ou parce qu'il ne tient pas à ce qu'ils le sachent ? En tout cas, il se dirige à grands pas vers la crique. Visiblement, il veut voir ses visiteurs quitter les lieux le plus tôt possible.

— Quand reviendrons-nous te voir, Henri ? questionne son épouse.

— Pas avant que je vous avertisse. J'aurai terminé probablement dans très peu de temps les recherches que j'ai entreprises. Oh ! Ce chien a fini par attraper un lapin !

— Dagobert ! hurle sa maîtresse.

Dago lâche le lapereau qu'il a réussi à saisir. La bestiole s'enfuit à toute allure.

— Tu es un vilain ! gronde Claude. Tu profites d'une seconde où je ne te regarde pas, c'est très mal. Non, inutile de me lécher la main. Je suis très fâchée contre toi.

Ils arrivent tous au bateau.

— Embarquez, dit l'oncle Henri. Je reste pour pousser la barque à l'eau.

Tante Cécile et les enfants montent à bord du canot. Dag tente de poser sa tête sur les genoux de sa maîtresse, mais elle le houspille.

— Oh ! s'il te plaît, sois gentille et pardonne-lui, supplie sa cousine. Il semble sur le point de pleurer.

— Vous êtes prêts ? interroge François. Claude, tu as les avirons ? Je prends les autres !

L'oncle Henri imprime une forte pous-

sée au bateau et lâche la coque quand celui-ci se mct à voguer.

— N'oublie pas les signaux ! crie tante Cécile à son mari, ses mains en porte-voix. On les guettera matin et soir. Et si tu oublies, je viendrai aussitôt !

Claude et Mick rament ferme et la barque glisse rapidement dans la passe. Bientôt les rochers dissimulent le savant. Le bateau contourne le banc d'écueils à fleur d'eau et s'élance en pleine mer.

— Mick, essaie de voir où se trouve notre oncle quand on aura dépassé ces rochers, presse François. Tâche de deviner vers où il se dirige.

Son frère se change en guetteur attentif, mais la crique disparaît entièrement derrière les rocs et le chercheur n'est visible nulle part ailleurs.

— Je me demande pourquoi il ne voulait pas qu'on reste et pourquoi il a refusé de nous dire où se trouve sa cachette...

soupire Mick. Vous pensez qu'il a découvert un recoin qu'on ne connaît pas ?

— Je croyais pourtant qu'on avait exploré l'île de fond en comble, répond Claude.

Dago pose de nouveau la tête sur son genou. La jeune fille est tellement plongée dans ses réflexions qu'elle lâche les avirons et lui caresse machinalement les oreilles. Le chien en devient fou de joie et lui lèche les jambes avec adoration.

— Oh ! Dag... Quel escroc ! j'avais décidé de ne plus te câliner. Arrête un peu. Tu mouilles mon bermuda... Cette affaire est vraiment énigmatique : où papa a-t-il réussi à se dissimuler ?

Elle se tourne vers l'île. À cet instant, une nuée de choucas s'élève dans le ciel en croassant à tue-tête.

L'adolescente les regarde avec attention. Qu'est-ce qui les a effrayés ? Est-ce l'oncle Henri ? Alors sa retraite n'est pas très loin de la vieille tour qui leur sert de

perchoir. Mais d'autre part ces oiseaux s'envolent souvent, la plupart du temps sans raison apparente.

— Ces bêtes font un boucan infernal, remarque-t-elle. Qui sait si le laboratoire de mon père n'est pas installé à proximité de l'endroit où ils nichent, tout près de la tour ?

— Impossible, réplique François. On a exploré le château à fond aujourd'hui et on n'a rien détecté dans ce coin.

— Tu as raison, admet sa cousine d'un air sombre. C'est un mystère complet.

chapitre 6

Au sommet de la falaise

Le lendemain, le temps se gâte. Les quatre enfants enfilent imperméables et bottes de caoutchouc, puis s'en vont se promener en compagnie de Dagobert. Ils ne craignent pas quelques gouttes d'eau. En fait, François déclare même qu'il adore sentir le vent et la pluie lui fouetter la figure.

— On a oublié qu'oncle Henri ne peut pas nous envoyer de signaux s'il n'y a pas de soleil ! s'écrie Mick. Vous croyez qu'il essaiera de s'arranger autrement ?

— Sûrement pas, répond Claude sèchement. Il ne s'en donnera pas la peine, j'en

mettrais ma main au feu. Il faudra attendre jusqu'à ce soir.

— Je pourrais attendre avec vous jusqu'à dix heures et demie ? demande Annie, réjouie à cette idée.

— Non, réplique Mick. François et moi, on guettera, mais vous, les bébés, vous serez au chaud dans votre lit.

Le visage de sa cousine paraît se décomposer. Elle lui envoie une bonne bourrade.

— Comment ça, les bébés ? Tu exagères, je suis presque aussi grande que toi !

— Puisque l'oncle Henri ne nous enverra pas de signaux, pas la peine de rester ici. Allons sur la falaise, propose la benjamine du groupe. On y est bien quand il y a du vent. Dag adore ça. J'aime bien le voir courir dans le vent avec ses oreilles complètement retroussées.

— Ouah ! ouah ! fait Dagobert.

— Lui aussi, il aime te voir avec tes

oreilles soulevées par les bourrasques, annonce gravement François.

Ses compagnons éclatent de rire.

— Allez, lance Mick, après avoir repris sa respiration. En route pour la falaise !

Ils s'engagent sur le sentier. Au sommet, le vent souffle en tornade. Il arrache presque la capuche d'Annie. La pluie cingle les joues des enfants et leur coupe la respiration.

— On est probablement les seuls à se promener par un temps pareil, déclare Claude d'une voix haletante.

— Erreur ! s'exclame François. Voilà deux autres fous qui s'avancent vers nous !

En effet, il y a maintenant sur le sentier un homme et un jeune garçon bien emmitouflés dans leur imperméable, qui portent des bottes de pluie, comme eux.

Les Cinq les examinent discrètement quand ils les croisent. L'homme est grand, large d'épaules, avec des sourcils en

broussaille et une bouche dure et sévère. Le garçon, qui a environ seize ans, est lui aussi grand et costaud. Il n'a pas une figure déplaisante, mais il a l'air triste, presque boudeur.

— Bonjour, marmonne l'homme en leur adressant un signe de tête.

— Bonjour, répondent en chœur les enfants.

Les deux inconnus leur jettent un coup d'œil scrutateur et poursuivent leur chemin.

— Je me demande qui c'est ! chuchote Claude, très excitée. Maman ne nous a pas dit qu'il y avait de nouveaux habitants à Kernach.

— Ils viennent probablement du village voisin..., avance Mick.

Les jeunes vacanciers continuent à marcher pendant quelques minutes, puis François propose :

— Et si on allait jusque chez le garde-côte ?

Ce dernier habite une petite maison blanchie à la chaux, bâtie au sommet de la falaise, face à la mer. Tout à côté, il y a deux autres demeures très semblables. Les jeunes vacanciers connaissent bien le douanier. Il a le visage tanné par le vent de mer, une silhouette massive et un caractère jovial. Il adore les plaisanteries.

Les enfants ne l'aperçoivent nulle part quand ils atteignent son domicile. Puis ils entendent sa grosse voix de basse qui entonne un chant de marin. Elle provient de l'appentis, au fond du jardin. Les Cinq s'y précipitent.

— Salut ! lui crie Mick.

L'homme lève la tête et sourit à ses visiteurs :

— Ça alors ! Bonjour, bonjour ! Vous voilà de retour ? Ah ! vous êtes comme les mauvaises herbes, pas moyen de se débarrasser de vous !

— Qu'est-ce que vous êtes en train de faire ? demande Claude.

— Un moulin à vent pour mon petit-fils, explique le garde-côte en montrant fièrement le petit objet en bois. Il est très adroit de ses mains et sait fabriquer de jolis jouets.

— Oh ! il est ravissant ! s'exclame Annie qui s'en saisit aussitôt. Et les ailes tournent avec la meule ? Oh oui... ce moulin est splendide.

— Hé ! j'ai gagné pas mal d'argent avec mes jeux ! J'ai des nouveaux voisins qui habitent la maison d'à côté, un homme et un jeune garçon ; eh bien, le monsieur a acheté tous les objets que j'ai fabriqués cette année ! Il doit avoir de très nombreux neveux et nièces !

— De nouveaux voisins ? relève François. C'est peut-être eux qu'on vient de rencontrer ? Tous les deux grands... et le plus âgé a des sourcils en broussaille.

— Exact ! confirme le vieux douanier en ajustant une pièce de son moulin. Le jeune, c'est son fils. Leur nom de famille,

c'est Corton. Ils sont arrivés il y a quelques semaines. Vous devriez faire la connaissance du garçon. Il n'a pas beaucoup d'amis, ici.

— Il ne va pas en classe ? questionne Mick.

— Non, il a été malade, m'a expliqué son père. Il a besoin de respirer le bon air marin et de se reposer. Il est assez gentil. Il vient m'aider quelquefois. Et il aime s'amuser avec ma longue-vue.

— Ah, ça ! Moi aussi ! s'écrie Claude. Est-ce que je peux regarder dedans maintenant ? Je voudrais voir Kernach.

— Tu ne distingueras pas grand-chose par un temps pareil. Attends un peu. Il y a une éclaircie. Patiente quelques minutes et tu apercevras facilement ton île. Ton père y a installé une drôle de bâtisse. C'est pour son travail, je pense ?

— Oui, c'est ça. Oh ! Dagobert... il a renversé ce pot de peinture. Dag, tu es

vilain ! Je suis désolée... toute la gouache est perdue.

— Ce n'est pas la mienne. Elle appartient à mon jeune voisin. Il vient m'aider quelquefois, je vous l'ai dit, et il l'avait apportée afin de peindre une maison de poupée que j'ai construite récemment.

— Oh, zut..., murmure la jeune fille. Vous croyez qu'il sera fâché quand il apprendra ce qu'a fait mon chien ?

— Non, mais non. Quoique ce soit un drôle de gars, muet comme une carpe la plupart du temps. Il n'est sûrement pas méchant, mais il n'a pas l'air facile à apprivoiser.

Claude s'efforce de nettoyer les taches de peinture. Dago en a plein les pattes et trace sur le plancher tout un réseau d'empreintes vertes en trottinant de-ci de-là.

— Je m'excuserai auprès de lui si je le rencontre tout à l'heure...

— Hé ! Le temps se lève, signale Mick. On peut jeter un coup d'œil dans

votre longue-vue maintenant, s'il vous plaît ?

— Laisse-moi inspecter d'abord mon île ! s'interpose sa cousine.

Elle oriente l'instrument en direction de Kernach, plisse un œil, puis l'autre, et sourit largement.

— Je la vois très bien ! Voici la tourelle de papa. Je distingue parfaitement la cabine au sommet, mais papa n'y est pas. Je ne l'aperçois nulle part.

Ses compagnons regardent ensuite l'un après l'autre. C'est fascinant, cette île qui devient soudain si proche. Par une journée claire, il aurait presque été possible de compter les brins d'herbe.

— Il y a un lapin au pied de la tourelle ! s'exclame Annie quand c'est son tour.

— Alors empêchez votre chien de s'approcher de la longue-vue, recommande aussitôt le garde-côte. Sinon, il

essaiera dc se fourrer dedans pour attraper cette bestiole !

Dag dresse les oreilles : il a compris qu'on parlait de sa proie favorite. Il examine les alentours, flaire. Non, pas l'ombre d'un lapin. Ses jeunes maîtres sont-ils devenus fous ?

— Il faut qu'on parte maintenant, annonce François. On reviendra bientôt voir les jouets que vous aurez fabriqués. Merci pour la longue-vue.

— De rien, répond l'homme. Vous ne l'userez pas en regardant dedans ! Elle est à votre disposition !

Les enfants s'en vont gaiement, après un joyeux « au revoir ». Dagobert gambade autour d'eux.

— L'île est bien visible, commente Annie. J'aurais aimé apercevoir ton père, Claude. Ce qui serait drôle, c'est qu'on le surprenne juste au moment où il sort de sa cachette, tu ne crois pas ?

Les quatre n'ont cessé de discuter de

cette mystérieuse cachette depuis qu'ils ont quitté Kernach. Cette affaire les intrigue beaucoup. Comment l'oncle Henri peut-il connaître un abri qu'eux ignorent ? Ils ont pourtant exploré l'îlot de fond en comble ! De plus, cet antre doit être très grand, puisqu'il y a déposé tout son matériel ! Et d'après tante Cécile, il y en a une quantité, sans parler des provisions.

— Si papa a vraiment découvert un endroit que je ne connais pas et ne me l'a pas dit, je trouve qu'il n'est pas sympa, déclare Claude au moins une douzaine de fois. Après tout, c'est mon île !

— Il te le dira probablement quand il aura fini ses recherches, la réconforte François. Et on ira l'explorer tous ensemble.

Après avoir quitté la maison du garde-côte, les Cinq ont pris le chemin du retour, au sommet de la falaise. Ils aperçoivent alors le jeune garçon qu'ils ont

rencontré quelques heures plus tôt. Il est au milieu du sentier et examine la mer. Son père aux sourcils broussailleux n'est pas avec lui.

L'adolescent se retourne quand les promeneurs approchent et leur adresse une ébauche de sourire.

— Salut... Vous venez de chez le vieux douanier ?

— Oui, acquiesce Mick. Il est gentil, hein ? Il nous a dit que...

— À propos, coupe Claude, je m'excuse beaucoup, mon chien a renversé un pot de peinture verte, et le garde-côte nous a dit qu'il t'appartenait. Je voudrais te le rembourser. Combien est-ce que je te dois ?

— Rien du tout ! D'ailleurs il ne restait presque plus rien dedans. Tu as un beau chien.

— Ça, oui ! s'exclame la jeune fille avec chaleur. Le meilleur qui existe. Je

l'ai depuis des années, mais il est plus jeune que jamais. Tu aimes les animaux ?

— Beaucoup, assure son interlocuteur.

Mais il ne fait pas un geste pour caresser Dagobert ou pour jouer avec lui, comme font la plupart des gens. Et Dag ne va pas le flairer, comme il n'y manque jamais lorsqu'il rencontre quelqu'un pour la première fois. Il reste planté près de sa maîtresse, la queue immobile et strictement horizontale.

— Il y a une jolie petite île, là-bas, poursuit le garçon en désignant Kernach. J'aurais bien voulu l'explorer.

— Figure-toi que c'est mon île ! Elle m'appartient.

— Ah ! oui ? Tu pourrais m'y emmener, un jour ?

— Avec plaisir, mais pas maintenant. Tu vois, mon père y travaille. C'est un savant.

— Pas possible ! s'extasie de nouveau

le jeune homme. Il... est-ce qu'il est en train de faire des expériences ?

— Oui.

— Et cette drôle de tour joue un rôle dans ses recherches, je suppose..., poursuit-il avec l'air de s'intéresser à la conversation pour la première fois. Quand ses découvertes seront-elles finies ?

— Qu'est-ce que ça peut te faire ? lance Mick tout à coup.

Les autres le regardent avec surprise. Le ton de leur compagnon est excessivement sec, ce qui est surprenant de sa part.

— Oh ! rien du tout, répond vivement l'inconnu. Je pensais seulement que si son travail se terminait bientôt, ton frère me conduirait peut-être à son île.

Claude se rengorge. Il l'a prise pour un garçon ! Quelle fierté !

— Je t'y accompagnerai avec plaisir ! Tu peux compter sur moi ! De toute façon, les expériences de papa sont presque terminées...

chapitre 7

Naissance d'une querelle

Un bruit se fait entendre. Tout le monde se retourne. C'est l'homme aux sourcils en broussaille qui arrive. Il adresse un signe de tête aux Cinq.

— Vous faites connaissance, on dirait ! constate-t-il d'un ton aimable. C'est très bien. Mon fils est un peu isolé ici. J'espère que vous viendrez nous rendre visite de temps en temps. Christophe, tu m'accompagnes ? Si ta conversation est finie...

— Oui, répond l'adolescent. Ce garçon me disait que l'île lui appartient et qu'il m'y emmènerait quand son père aurait terminé ses travaux... Très bientôt.

— Vous savez vous diriger à travers tous ces écueils ? reprend son père. Moi, je ne m'y risquerais pas.

— Vous voulez vous y rendre ? demande Mick, un sourcil relevé.

— Moi, non. Mais mon fils en serait ravi. Je n'ai pas le pied marin. Je ne prends la mer que lorsque j'y suis obligé.

François jette un coup d'œil à sa montre.

— Il faut qu'on parte, annonce-t-il. On a des courses à faire pour tante Cécile. Au revoir, monsieur Corton !

— À bientôt, les jeunes ! Venez nous voir dès que vous pourrez. Il y a des tas de jeux de société dans la chambre de mon fiston, et des jeux de cartes, de dominos, de stratégie...

— Merci beaucoup ! répond Annie.

Ils se séparent, et les jeunes vacanciers dévalent le sentier.

— Pourquoi tu as été si agressif quand on discutait avec Christophe, Mick ?

interroge Claude. La façon dont tu as dit : « Qu'est-ce que ça peut tc faire ? » était très désagréable.

— Je me méfiais. Ce type avait l'air de s'intéresser un peu trop à l'îlc et aux travaux de ton père.

— Et alors ? Qu'est-ce que ça a d'extraordinaire ? Tous les gens du village se sentent concernés, tu sais ! Il a demandé quand papa aurait terminé uniquement pour être fixé sur le moment où il pourrait aller visiter l'île. Moi, je l'ai trouvé très sympa.

— Oh, ça va ! Tu l'as apprécié parce qu'il a été assez bête pour croire que tu étais un garçon. Un garçon qui aurait plutôt l'air d'une fille, si tu veux mon avis !

L'adolescente devient toute rouge :

— Moi, j'ai l'air d'une fille ? N'importe quoi ! Je te signale que j'ai plus de taches de rousseur que toi ! Et j'ai une voix plus grave que la tienne !

— Tu es vraiment stupide ! riposte

Mick d'un ton dégoûté. Comme si seuls les garçons avaient des taches de rousseur ! Les filles en ont aussi. Je suis sûr que ce Christophe savait parfaitement qu'il n'avait pas affaire à un garçon. Il voulait te flatter !

Claude s'approche de son cousin, le visage crispé par la colère. Comprenant que l'altercation risque de dégénérer, François s'interpose vivement.

— Écoutez, vous deux, pas de bagarre, compris ? Vous vous conduisez l'un et l'autre comme des bébés !

Annie regarde cette scène d'un air effrayé. D'habitude, Claude ne s'énerve tout de même pas aussi vite. Et Mick n'a pas non plus l'habitude d'être hargneux comme il l'a été avec Christophe sur la falaise. Dago gémit soudain. Il a la queue basse et l'œil très triste.

— Oh ! Dag ne peut pas supporter les disputes, murmure la benjamine du groupe. Regardez-le. Il est malheureux.

— Il n'a pas du tout aimé le fils de M. Corton, reprend Mick. Ça m'a beaucoup intrigué aussi. Quand Dagobert se tient à distance de quelqu'un, j'en fais autant.

— Mon chien ne saute pas au cou de n'importe qui, rétorque sa cousine. D'ailleurs, il n'a ni grogné ni aboyé. Je te trouve vraiment bête ! Tu fais toute une histoire parce que quelqu'un s'intéresse un peu à Kernach et au travail de papa. Je ne te comprends pas, mon vieux !

— Bon, bon, ça va ! s'écrie le jeune garçon avec un soupir. Je cède... Tu dois avoir raison : il n'y a peut-être pas de quoi s'inquiéter, mais c'est une impression que j'ai eue. Je n'y peux rien.

Annie souffle de soulagement. La querelle est terminée. Pourvu qu'elle ne se rallume pas !

Claude se montre très susceptible depuis son retour à Kernach. Si seulement l'oncle Henri se dépêchait de finir ses

expériences, ils pourraient retourner tous les Cinq dans l'île et l'entente habituelle renaîtrait.

— J'aimerais bien voir les jeux de société dont nous a parlé M. Corton, déclare la maîtresse de Dagobert. On pourrait y aller un après-midi, non ?

— D'accord, approuve François. Mais je crois qu'il vaut mieux éviter de parler du travail de ton père. On n'en sait pas beaucoup sur ce sujet, mais n'oublions pas qu'il s'agit de découvertes de la plus haute importance, probablement classées « top secret ». Rappelez-vous qu'il y a déjà eu des gens pour s'intéresser d'un peu trop près aux recherches de l'oncle Henri. De nos jours, les savants sont devenus des véritables V.I.P. !

— Des quoi ? questionne sa sœur.

— *Very Important Persons*. Autrement dit des stars !

Tous rient, même Claude.

Le reste de la journée passe rapidement.

Le temps s'améliore et le soleil se remet à briller avec ardeur. L'air sent bon la mer, les genêts et les giroflées. C'est merveilleux. Les Cinq font quelques courses pour tante Cécile et s'arrêtent pour bavarder avec Jean-Jacques Loïc, le pêcheur.

— C'est ton père qui règne sur l'île maintenant ! Pas de chance, hein ? dit-il à Claude en souriant. Tu ne pourras pas lui rendre visite souvent. Et personne d'autre non plus d'ailleurs, d'après ce que j'ai entendu dire.

— Exact. Tu as aidé au transport du matériel, Jean-Jacques ?

— Oui. Je connais bien la passe, puisque j'y suis allé avec vous. Ton bateau a bien marché, hier ? Je vous l'avais remis en état. La coque était un peu fissurée...

— Tu as fait des merveilles ! Il est comme neuf. Il faudra que tu nous accompagnes, la prochaine fois qu'on piqueniquera dans l'île.

— Merci, répond le pêcheur avec un sourire qui découvre deux rangées de belles dents blanches. Tu me laisses Dago pour une semaine ou deux ? Regarde, il meurt d'envie de rester avec moi !

La jeune fille éclate de rire. Elle sait que Jean-Jacques veut la taquiner. Il aime d'ailleurs beaucoup le brave chien qui le lui rend bien. L'animal se frotte avec ardeur à ses genoux et essaie de fourrer son museau dans la main hâlée du pêcheur. Dagobert n'a pas oublié les jours heureux qu'il a passés auprès de lui.

La nuit tombe doucement. Quand les Cinq arrivent à la villa, le soleil a complètement disparu de l'horizon.

La mer est bleu pâle et parsemée, çà et là, de petits moutons blancs. Les enfants contemplent l'île de Kernach. Elle est toujours merveilleuse au crépuscule. Le sommet vitré de la tour scintille dans les derniers rayons du couchant.

Il y a soudain un grondement sourd très

atténué et une sorte d'éclair embrase le haut de la tour.

— Oh ! Regardez ! Il s'est produit la même chose hier, s'exclame François. Ton père est en plein travail, Claude. Je me demande ce qu'il fait...

Puis il y a une sorte de vrombissement assez semblable à celui d'un avion, et la cime de la tourelle s'illumine une seconde fois, comme si une espèce d'étrange courant passait dans les fils.

— Bizarre, commente Mick. Et un peu effrayant. Je me demande bien où se trouve l'oncle Henri en ce moment...

— Une seule chose est sûre : il a encore dû oublier de manger, réplique Claude. Il a littéralement dévoré nos sandwichs... il devait mourir de faim. J'aimerais bien qu'il laisse maman s'installer là-bas pour veiller sur lui...

Sa mère survient à cet instant :

— Vous avez entendu ce bruit ? Votre oncle a terminé une de ses expériences,

je pense. J'cspère qu'il ne se fera pas sauter avec son laboratoire, un de ces jours...

— Tante Cécile, est-ce que je peux rester debout jusqu'à dix heures et demie, ce soir ? demande Annie. Pour voir les signaux, tu comprends...

— Non, ma petite chérie, c'est beaucoup trop tard. Je resterai seule à les guetter.

— Oh ! intervient François. Mick et moi, on peut bien veiller un peu, non ? Après tout, au collège, on ne se met pas au lit avant dix heures.

— Mais rien ne vous empêche d'attendre les signaux une fois couchés... si vous ne vous êtes pas endormis avant.

— D'accord..., admet le jeune garçon. Ma fenêtre donne sur la baie. Six éclats ? Je les compterai.

Les quatre enfants vont donc se coucher à l'heure habituelle. La benjamine du groupe s'endort bien avant dix heures. Quant à Claude, elle se sent si somnolente

qu'elle n'a pas le courage de se relever pour se rendre dans la chambre des garçons. Mais ces derniers ont l'œil vif et l'esprit frais. Ils patientent, étendus dans leur lit. Il n'y a pas de lune, mais le ciel est clair et les étoiles scintillent. La mer paraît d'un noir d'encre. L'île de Kernach est invisible dans la pénombre.

— Presque la demie..., observe François en regardant sa montre aux aiguilles phosphorescentes.

Et aussitôt, une lumière semblable à celle d'une lampe de poche brille au sommet de la tourelle. Les deux frères commencent à compter : « Un. » Il y a une pause. « Deux... trois... quatre... cinq... six ! »

Fini ! Ils s'enfoncent sous leurs couvertures.

— Et voilà. L'oncle Henri se porte bien ! traduit Mick. Quand je pense qu'il escalade cet escalier en pleine nuit, rien

que pour arranger ses fils, ça me donne des frissons !

Soudain, quelques coups sont frappés à la porte. Puis le battant s'ouvre lentement. Les garçons se redressent d'un bond. C'est tante Cécile.

— Vous avez vu les signaux ? J'ai oublié de les compter. Il y en avait bien six ?

— Oui, il n'y a aucune crainte à avoir ! la rassurent ses neveux.

— Je regrette de ne pas lui avoir recommandé de faire un signal supplémentaire pour me dire s'il avait mangé le bon potage que je lui ai laissé, soupire Mme Dorsel. Allons, bonne nuit, les enfants. Dormez bien.

chapitre 8

Au fond de la carrière

Le lendemain matin, le soleil brille de tous ses feux. Les quatre descendent en trombe prendre leur petit déjeuner. Ils sont pleins d'entrain.

— Tante Cécile, est-ce qu'on peut se baigner ? Il fait très chaud. Oh ! dis oui, s'il te plaît !

— Se baigner en avril ? Vous êtes fous ! La mer est terriblement froide. Vous voulez donc passer le reste des vacances au lit avec un rhume ?

— Bon... Alors promenons-nous sur la lande derrière la maison, propose Claude. Dagobert sera ravi. Hein, Dago ?

— Ouah ! fait le chien en frappant vigoureusement le parquet avec sa queue.

— Emportez de quoi pique-niquer, si ça vous tente. Je vous préparerai des sandwichs.

— Ah ! ah ! tante Cécile, tu seras bien contente de te débarrasser un peu de nous, non ? s'écrie Mick en riant. J'ai une idée. Si on allait à la vieille carrière : la dernière fois, on y a découvert des tas de pierres qui ressemblaient à des armes préhistoriques ! On a un musée presque complet, au collège, et j'aimerais bien rapporter des silex, si c'est possible...

Ils se passionnent tous pour ce genre de recherche. L'excursion jusqu'à la carrière sera très amusante.

— J'espère qu'on n'y trouvera pas de cadavre de mouton comme la dernière fois, murmure Annie avec un frisson. Pauvre bête. Elle avait dû tomber là et bêler pendant des jours entiers.

— Mais non, il n'y en aura pas, la ras-

sure son frère aîné. À la place, on verra un joli tapis de primevères et de violettes. Elles sont toujours en avance dans cette carrière, parce qu'elles sont à l'abri du vent.

— Ah ! Je serai ravie d'avoir des bouquets de primevères ! s'exclame tante Cécile. Des gros ! Rapportez-moi de quoi fleurir toute la maison.

— Promis ! se réjouit sa nièce. On en cueillera pendant que les garçons cherchent leurs silex.

Ils attendent dix heures et demie pour guetter le signal de l'oncle Henri : six éclairs produits par un miroir réfléchissant le soleil. Les éclats sont presque aveuglants.

— Voilà ! On est rassurés jusqu'à ce soir ! estime Mick ! Tout le monde est prêt ?

— Oui ! répondent ses compagnons. Viens vite, Dag. Qui a pris les sand-

wichs ? Oh ! comme le soleil est déjà chaud !

Et les voilà partis, munis de pelles. Ils ont mis leurs bottes de caoutchouc, mais personne n'a voulu s'embarrasser d'un imperméable, tant la journée s'annonce magnifique.

La carrière ne se trouve pas très loin de la villa, cinq cents mètres à peine. Ils empruntent un grand détour, pour que Dago se dégourdisse bien les pattes. C'est un endroit très pittoresque. On en a extrait de la pierre pendant un certain temps autrefois, puis l'emplacement a été laissé à l'abandon. Les parois en sont abruptes ; peu de gens y viennent, il n'y a pas de sentier tracé. On croirait un énorme bol, pas très rond, coloré du fond jusqu'aux bords par les primevères et les violettes qui y fleurissent à foison. Il y a même des coucous, les premiers éclos dans la région.

— Superbe ! s'exclame Annie qui s'est

arrêtée juste au bord de l'excavation. Je n'ai jamais vu tant de primevères à la fois. Ni de si grosses !

— Fais attention où tu mets le pied, Annie, recommande François. Cette pente est raide. Si tu glissais, tu dévalerais jusqu'au fond et tu finirais avec une jambe ou un bras dans le plâtre.

— Tu as raison. Je vais jeter mon panier en bas. Comme ça, j'aurai les deux mains libres pour me raccrocher aux buissons si c'est nécessaire.

Elle joint le geste à la parole, et le panier roule au fond de la carrière.

Les jeunes vacanciers descendent jusqu'à l'endroit qu'ils ont choisi, un grand tapis de primevères pour les filles, un espace sablonneux pour les garçons qui pensent y trouver des armes préhistoriques.

— Salut ! crie soudain une voix, bien en dessous d'eux.

Les Cinq se figent, stupéfaits, et Dag gronde sourdement.

— Tiens, Christophe, c'est toi ! s'exclame Claude en reconnaissant le garçon qu'ils ont rencontré hier. On est venus pique-niquer ici. Et chercher des silex. Et toi ?

— Oh !... moi aussi.

— Tu en as trouvé ?

— Non, pas encore.

— En bas, tu as peu de chances, assure Mick. Pas dans la bruyère. Il faut que tu ailles par ici, où le sol est nu, avec seulement des graviers.

Il s'efforce de se montrer amical pour compenser son attitude de la veille. Christophe remonte la pente de quelques mètres et se met à sonder la terre avec les deux frères. Ceux-ci ont des pelles, mais lui se sert de ses mains nues.

— Ce qu'il fait chaud ! leur crie Annie. Je crois que je vais poser mon blouson.

Dagobert s'est enfoncé jusqu'aux

épaules dans un terrier de lapin. Il gratte, gratte, grattc avcc une telle ardeur que le sable vole en nuage tout autour.

— Si on ne veut pas être enterrés vifs, ne nous approchons pas de Dag ! s'exclame François. Hé, Dag, tu crois qu'un lapin vaut la peine de te donner tant de mal ?

Apparemment oui, puisque le chien, hors d'haleine, continue à creuser comme si sa vie était en jeu. Une pierre jaillit jusqu'à l'aîné des Cinq. Il se frotte la joue.

Puis il examine le caillou tombé à côté de lui.

— Regardez ! Une pointe de flèche splendide... Merci, Dago ! C'est sympa d'avoir fait les fouilles pour moi. Trouve-moi une hache maintenant, d'accord ?

Les autres accourent pour examiner sa trouvaille. Annie pense qu'elle n'aurait jamais pris cette petite pierre pour une arme, mais ses deux frères la contemplent

avec admiration et nc tarissent pas d'éloges.

— Ma-gni-fique ! estime François. Vous voyez comme elle est taillée ? Dire qu'elle a été utilisée il y a des milliers d'années pour tuer les ennemis d'un homme des cavernes !

Christophe ne fait aucun commentaire. Il se contente de jeter un coup d'œil sur la fameuse pointe de flèche, puis il s'éloigne.

Mick pense qu'il est vraiment bizarre, taciturne et peu agréable.

« Est-ce qu'il faut l'inviter à partager notre pique-nique ? se demande-t-il. Je n'en ai aucune envie... »

Mais Claude si !

— Tu as apporté ton déjeuner ? interroge-t-elle.

L'adolescent secoue la tête.

— Non, je n'ai rien à manger.

— Eh bien, joins-toi à nous ! offre

généreusement la maîtresse de Dago. On a des tas de sandwichs !

— Merci, c'est très gentil... Voulez-vous en échange venir cet après-midi voir mes jeux de société ? Ça me ferait plaisir.

— Très bonne idée ! Ça nous distraira ! Oh ! Annie... regarde ces violettes ! Je n'en ai jamais vu de si belles. Maman sera contente, non ?

Les garçons descendent au fond de la carrière en jouant de la pelle dans tous les endroits capables de receler des silex taillés. Ils parviennent ainsi à une sorte de longue corniche de pierre, endroit rêvé pour déjeuner. La pierre tiédie au soleil leur offre un siège très confortable et ils commencent à manger vers midi et demi.

Ils sont affamés. Ils partagent leurs casse-croûte avec Christophe qui est maintenant moins timide.

— Ce sont les meilleurs sandwichs que j'aie jamais goûtés ! affirme-t-il. J'adore

ceux aux œufs. C'est ta mère qui les a faits ? Tu as bien de la chance. La mienne est morte il y a très longtemps...

Les Cinq compatissent en silence. Il leur semble que rien ne peut arriver de pire que de perdre un de ses parents. Ils donnent aussitôt à leur convive le plus gros morceau de gâteau.

— Au fait, poursuit-il, j'ai vu le savant lancer ses signaux, hier soir !

Mick lève vivement la tête :

— Comment tu sais qu'il faisait des signaux ? Qui te l'a dit ?

— Personne. J'ai aperçu six éclats de lumière et j'ai pensé qu'ils venaient du père de Claude.

Il a l'air étonné du ton acide du jeune garçon, à qui François décoche un coup de coude pour l'avertir de ne pas recommencer une bagarre.

Sa cousine lui jette un regard noir et explique à Christophe :

— Je pense que tu as vu papa recom-

mencer ce matin. Je parie que plein de gens ont aperçu les éclairs. C'est un système qui lui permet de nous prévenir qu'il se porte bien, le matin, à dix heures et demie, au moyen d'un miroir, et le soir, à dix heures et demie aussi, avec une lampe.

C'est au tour de Mick d'adresser à l'adolescente un regard furibond. Pourquoi fournit-elle tous ces renseignements à un inconnu ? Il tente de changer le sujet de la conversation.

— Tu vas où en classe ? demande-t-il.

— Nulle part. J'ai été malade.

Ses interlocuteurs ne savent pas quoi dire. Ils le plaignent de manquer les distractions, le travail et les jeux de la vie d'écolier.

Ils examinent le jeune homme avec curiosité. Il a l'air taciturne.

Dag, installé sur la pierre chaude avec ses compagnons, a vu sa part de sandwichs un peu réduite puisqu'il a fallu en

donner au nouveau venu. Les enfants constatent que le chien a une attitude bizarre à l'égard de ce dernier : il l'ignore totalement. Christophe pourrait aussi bien être invisible.

Et l'adolescent ne s'occupe pas non plus du chien. Il ne lui parle pas, et ne le caresse pas non plus. Annie est certaine qu'il n'aime pas les animaux, bien qu'il ait prétendu le contraire. Comment peut-on rester à côté de Dag sans le câliner ?

Ce dernier n'adresse même pas un coup d'œil au fils de M. Corton. Au contraire, il lui tourne carrément le dos. Il s'est allongé près de Claude. C'est très curieux. La benjamine du Club des Cinq est sur le point de faire remarquer l'étrange parti pris de Dagobert lorsque celui-ci bâille, se secoue, s'étire et saute à bas de la corniche.

— Il part chasser le lapin, explique sa

maîtresse. Hé, rapporte-moi une autre flèche, s'il te plaît !

Le chien agite la queue. Puis il disparaît sous la saillie, et bientôt les enfants l'entendent creuser.

Une nuée de gravier et de sable jaillit.

Le petit groupe s'allonge sur la pierre. Tout le monde a sommeil. Ils bavardent pendant quelques minutes, puis Annie sent ses paupières se fermer toutes seules. Elle est réveillée par la voix de sa cousine.

— Où est Dagobert ? Dag ! Viens ici ! Où es-tu ?

Mais l'animal reste invisible. Claude n'obtient même pas un aboicment en réponse à ses appels.

— Oh ! non ! se désespère sa petite maîtressc. Il a dû s'enfoncer dans un terrier très profond. Il faut que j'aille le chercher. Où est-il ?

chapitre 9

Claude fait une découverte

Claude se laisse glisser en bas du rocher en corniche et regarde dessous. Il y a là une grande cavité encombrée de pierres que Dagobert a déterrées en grattant.

« Il aurait trouvé un terrier de lapin assez vaste pour s'y faufiler ? s'interroge la jeune fille. Où est passé mon chien ? »

Silence absolu : pas même le plus petit gémissement en réponse. L'adolescente rampe sous le roc pour inspecter l'excavation. Dag l'a considérablement élargie. Claude appelle ses cousins.

— François ! Mick ! Annie ! Lancez-moi une pcllc !

L'outil atterrit à côté de son pied. Elle se met à creuser. L'ouverture est trop étroite. Elle travaille avec acharnement et ne tarde pas à être baignée de transpiration. Elle ressort la tête pour voir si quelqu'un voudrait venir l'aider. Ils dorment tous.

« Quelle bande de paresseux ! » songe la maîtresse de Dagobert, oubliant qu'elle en aurait fait autant si elle ne s'était pas inquiétée de son fidèle compagnon.

Elle se faufile de nouveau sous la corniche rocheuse et recommence à creuser. Elle a bientôt assez de place pour s'introduire dans le trou. Elle s'aperçoit alors avec surprise que ce terrier est relativement grand : elle peut y avancer sans peine à quatre pattes.

« Tiens ! Je commence à me demander si c'est bien un terrier ou si c'est une galerie qui mène quelque part. Oh... Dag, où es-tu ? »

De très loin lui parvient un faible aboie-

ment. La jeune fille pousse un soupir de soulagement. Son chien est donc bien là ! Elle reprend sa progression dans le tunnel qui s'élargit tout à coup. Elle se trouve dans une sorte de couloir. L'obscurité est quasi complète. Claude doit se contenter de tâter les parois.

Elle entend soudain un faible bruit de trottinement, et Dag se presse affectueusement contre elle.

— Oh ! tu m'as fait peur... Où tu étais passé ? Est-ce qu'on est dans un passage secret ? Ou bien ce tunnel a peut-être été creusé autrefois par les ouvriers qui extrayaient la pierre de la carrière...

— Ouah ! fait Dagobert qui agrippe Claude par le pantalon et l'attire vers la lumière.

— D'accord, je te suis. Tu sais, je n'aime pas particulièrement me balader toute seule dans des boyaux tout noirs ! Si j'ai pénétré à l'intérieur de celui-ci, c'était seulement pour te chercher !

Elle retourne sur ses pas vers le rocher en corniche. Pendant ce temps, Mick s'est réveillé et se demande où sa cousine a disparu. La réverbération du ciel bleu intense le fait cligner des yeux. Il attend quelques minutes, puis se redresse.

— Claude ?

Pas de réponse. À son tour, Mick se laisse glisser au bas du rocher et inspecte les alentours. Il voit alors surgir du trou d'abord Dag, puis sa maîtresse. Le jeune garçon reste la bouche ouverte et les yeux ronds de surprise, si bien qu'il ressemble à un poisson rouge.

— Ne t'inquiète pas ! Je suis juste allée chasser le lapin avec Dag !

Elle se secoue et brosse la terre collée sur son jean et son gilet.

— Au fond de ce trou, sous le rocher, il y a un couloir, explique-t-elle. Il est aussi étroit qu'un terrier au début, puis il s'élargit jusqu'à devenir un véritable tunnel. Je ne me suis pas rendu compte s'il

était très long, car il y fait noir comme dans un four. Dag l'a exploré plus que moi.

— Belle découverte !

— Un peu, oui ! Viens, allons l'examiner ! François doit bien avoir une lampe de poche.

— Une lampe de poche, en plein jour ? c'est peu probable ! On reviendra une autre fois.

Les autres sont réveillés à présent et les écoutent avec attention.

— Il y a un passage secret ? demande Annie. On va l'explorer ?

— Non, pas aujourd'hui.

Mick jette un coup d'œil à François. Celui-ci devine que son frère cadet ne veut pas faire participer Christophe à leurs recherches. Il a raison. Le fils de M. Corton n'est pas encore un ami : ils viennent juste de faire sa connaissance. L'aîné des Cinq intervient à son tour, d'un ton catégorique :

— On n'a pas l'équipement nécessaire. D'ailleurs, ce n'est probablement qu'une vieille galerie creusée par les carriers.

Christophe a l'air très intéressé. Il se penche pour inspecter l'excavation.

— J'aimerais bien savoir ce que c'est. On pourrait se retrouver un jour avec des torches électriques pour vérifier s'il s'agit d'un tunnel.

François regarde sa montre :

— Presque deux heures. Et si tu nous conduisais chez toi ? On pourrait faire une partie de cartes ? Ou découvrir un de tes jeux de stratégie ?

Les filles grimpent lentement la pente abrupte de la carrière : leurs paniers remplis de primevères et de violettes sont assez lourds. Les enfants atteignent enfin le sommet. L'air leur paraît froid, après l'atmosphère tempérée qui règne en bas.

Ils se dirigent vers le sentier de la falaise et passent bientôt devant la demeure du garde-côte. Il s'active dans

son jardin et leur adresse un joyeux salut de la main. Christophe pousse la porte de la maison voisine. Son père est assis près de la fenêtre et lit le journal. Il accueille la petite troupe avec un large sourire.

— Tiens, tiens ! En voilà, une bonne surprise. Entrez ! Oui, le chien aussi. Ça ne m'ennuie pas du tout. J'aime beaucoup les chiens.

Le petit salon semble maintenant plein à craquer. Ils serrent poliment la main de leur hôte. Son fils lui explique qu'il a amené ses compagnons pour leur montrer ses jeux de société.

— Excellente idée, approuve M. Corton.

Annie est fascinée par ses sourcils. Ils ressemblent à une brosse aux poils longs et épais. Elle se demande pourquoi il ne les coupe pas. Peut-être les trouve-t-il à son goût. Tout de même, ils lui donnent l'air sacrément féroce !

Les quatre jettent un coup d'œil autour

d'eux. Les boîtes rectangulaires des jeux de Christophe sont rangées à l'autre bout de la pièce, sur une étagère. Il y a aussi un objet qui fait ouvrir de grands yeux aux garçons.

— Oh ! vous avez un émetteur-radio ? interroge François.

— Oui, répond leur hôte. Je l'ai monté moi-même. Je suis très bricoleur.

— Waouh ! Vous êtes drôlement fort !

— C'est quoi, un émetteur-radio ? questionne Annie.

— C'est un appareil qui permet d'envoyer des messages par les ondes radiophoniques, comme celui qui se trouve dans les voitures de police. Ça leur permet de communiquer avec leur quartier général, explique son frère aîné. Mais vu sa taille, celui-ci est beaucoup plus puissant...

Christophe sort plusieurs boîtes en carton et étend un plateau de jeu sur la table. Il propose de faire une partie de Monopoly, ce qui séduit beaucoup les Cinq.

Quand ils ont terminé de jouer, M. Corton les invite à rester goûter.

— Ne dites pas non, insiste-t-il. Si vous craignez que votre tante ne s'inquiète, je peux lui téléphoner.

— Eh bien, d'accord, répond Claude. Sans ça, elle pourrait se demander ce qu'on est devenus.

L'homme appelle Mme Dorsel, qui accepte que ses neveux et sa fille profitent de l'invitation à condition qu'ils ne rentrent pas trop tard. Les enfants s'attablent donc devant un succulent repas : des biscuits au chocolat, des jus de fruits, des tartines de miel. Christophe ne se montre pas très bavard, mais son père fait la conversation pour deux. Il rit, plaisante, pose des questions à ses convives. Bref, il se révèle un hôte très agréable. On en vient à parler de Kernach. M. Corton déclare la trouver splendide au crépuscule. Claude est aux anges.

— Moi aussi, je trouve que c'est un

lieu magiquc, assure-t-elle. J'aurais bien aimé que papa n'ait pas choisi précisément ces vacances pour s'y installer. J'avais projeté d'y aller camper.

— Vous devez connaître chaque centimètre de terrain ?

— Et comment ! On a exploré l'île dans ses moindres recoins. Il y a des souterrains, de vrais souterrains où nous avons découvert des lingots d'or[1].

— Vraiment ? Vous avez dû beaucoup vous amuser ! Surtout en trouvant les tunnels.

— Oui. Et il y a aussi une grotte où on a campé, ajoute Annie. Elle a deux entrées, une par la mer, et l'autre par la voûte.

— Je suppose que votre père fait ses expériences dans les galeries souterraines ? poursuit M. Corton. Quel drôle d'endroit pour travailler !

— Non... On ne...

1. Voir *Le Club des Cinq et le trésor de l'île*, dans la même collection.

Mais Claude s'interrompt brusquement avec une grimace de douleur. Mick vient de lui décocher un coup de pied dans la cheville.

— Que voulais-tu dire ? questionne le père de Christophe, surpris.

— Euh, rien. Simplement qu'on ne sait pas où papa s'est installé, complète enfin la jeune fille en déplaçant ses jambes pour les mettre hors de portée de son cousin.

Dagobert lance un aboiement plaintif. Sa maîtresse se tourne vers lui. Il regarde Mick d'un air peiné.

— Qu'est-ce qui se passe, mon chien ? demande l'adolescente avec anxiété.

— À mon avis, il a trop chaud, répond Mick précipitamment. Tu devrais l'emmener un peu à l'extérieur.

Claude, très inquiète, sort avec son fidèle compagnon. Son cousin la suit. Elle lui jette un coup d'œil furibond.

— Non mais, qu'est-ce qui t'a pris ?

Pourquoi tu m'as donné un coup de pied ? Je vais avoir un bleu énorme !

— Tu sais très bien pourquoi. Tu ne devrais pas répondre à toutes les questions qu'on te pose sur l'oncle Henri ! Tu ne penses pas que ce type s'intéresse d'un peu trop près à ton père et à son travail sur l'île ? Ah ! c'est bien un comportement de fille, ça ! Il fallait bien que je trouve un moyen de t'arrêter. Et j'aime mieux te dire aussi que j'ai marché exprès sur la queue de ce pauvre Dagobert, pour qu'il aboie et que tu t'occupes de lui, au lieu de continuer à babiller !

— Tu as marché sur la queue de Dago ? Espèce de brute ! Tu as osé lui faire du mal ?

— Je n'en avais pas envie du tout. Pauvre bête..., tempère Mick en lui caressant les oreilles.

La jeune fille étouffe de rage :

— Si c'est comme ça, je rentre ! Et je

te déteste ! Retourne là-bas et préviens-les que je ramène mon chien à la maison !

— Bonne idée ! hurle Mick à son tour. Moins tu parleras à M. Corton, mieux ce sera ! Moi, je vais tâcher de découvrir qui il est et ce qu'il fait. Je commence à avoir des soupçons sur son compte.

Claude est écarlate de colère quand elle s'éloigne avec Dagobert. Son cousin l'excuse auprès du père de Christophe. Annie et François se rendent compte qu'il est arrivé quelque chose et se sentent mal à l'aise. Ils se lèvent, mais à leur grande surprise, leur frère se montre très bavard et paraît subitement se passionner pour leur hôte et ses occupations.

Mais ils finissent quand même par prendre congé et s'en aller. L'homme aux sourcils broussailleux leur adresse un grand sourire final :

— Revenez quand vous voudrez, vous serez toujours les bienvenus. Et dites à l'autre garçon... comment s'appelle-t-il

déjà ? Claude... dites-lui que j'espère que son chien se rétablira vite. C'est un chien charmant, et si bien élevé ! Allons, au revoir. Et à bientôt.

chapitre 10

Pourquoi ces signaux ?

— Qu'est-ce qui s'est passé pour que Claude décide de partir toute seule, et sans dire au revoir ? demande François dès qu'ils sont à bonne distance de chez les Corton. J'ai bien compris que tu lui avais donné un coup de pied parce qu'elle parlait trop de l'île – ce n'était pas malin de sa part. Mais pourquoi se précipiter à la maison ?

Mick raconte comment il a fait aboyer Dago pour que sa maîtresse s'occupe de lui et cesse de bavarder. L'aîné des Cinq éclate de rire, mais Annie s'indigne.

— C'est horrible ! Pauvre chien !

— Oui, je sais. Mais sur le moment je n'avais aucun autre moyen d'arrêter les bavardages de Claude sur Kernach. Franchement, j'avais l'impression qu'elle donnait à ce type des renseignements qu'il aurait payé cher pour avoir. Mais je me rends compte maintenant qu'il avait une autre idée en tête.

— C'est-à-dire ? questionne François étonné.

— Je croyais qu'il cherchait à connaître les secrets de l'oncle Henri. Et que, pour cette raison, il voulait des détails précis sur tout : le lieu où est installé le laboratoire, la date de fin des expériences... Mais quand, après le départ de notre cousine, il a expliqué qu'il était reporter, j'ai compris que je m'étais trompé sur son compte ! En fait, il nous demandait simplement ces renseignements pour écrire un article bien documenté quand l'oncle Henri aura fini ses travaux.

— Hmm... possible ! murmure pensivement François. C'est même sûrement ça. Rien de suspect, finalement. Mais je ne vois pas pourquoi on se laisserait tirer les vers du nez ! Il aurait pu nous révéler tout de suite son métier, nous dire : « J'ai l'intention d'écrire une chronique sur votre oncle et sur Kernach, que pourriez-vous me raconter à leurs sujets ? » C'est la méthode qu'emploient habituellement les journalistes, non ?

— Oui, tu as raison, confirme son frère. C'est justement parce qu'il ne nous expliquait pas les raisons de son interrogatoire que je me suis méfié. Mais je dois reconnaître que j'ai eu tort de le soupçonner. Zut ! Il va falloir maintenant que je dise tout ça à Claude... et elle est d'une humeur noire.

— Si on passait par le village ? suggère Annie. On pourrait demander au boucher s'il a des os à moelle. Tu les offriras en guise d'excuses à Dagobert !

L'idée est adoptée à l'unanimité. Ils achètent deux os encore bien garnis de viande et rentrent à la villa. Leur cousine est dans sa chambre avec son chien. Elle est assise sur le parquet et lit un roman d'aventures. Elle adresse un regard boudeur à ses compagnons quand ils apparaissent.

— Je suis désolé, déclare Mick. Je t'assure que je n'avais pas de mauvaises intentions. Je voulais seulement protéger ton père et ton île. Mais j'ai découvert que M. Corton n'était pas un espion. C'est seulement un journaliste à la recherche d'un bon article pour son journal. Et tiens, regarde, j'ai apporté ça pour Dag... et j'espère que lui aussi me pardonnera.

La jeune fille est de très mauvaise humeur, mais elle s'efforce d'esquisser un sourire.

— Accepté. Merci pour les os. Et pour ce soir, je préfère que vous ne me par-

liez pas. Je suis en colère, mais ça passera.

Ils la quittent. Il vaut mieux la laisser seule quand elle a ce genre de crise. De toute façon, Dag la surveille. Il ne la lâche pas d'une semelle quand elle est fâchée et triste.

La jeune fille ne descend pas dîner. Annie explique :

— Il y a eu une dispute, tante Cécile, mais tout le monde est réconcilié. Seulement Claude est encore bouleversée. Je peux lui monter son dîner ?

— Oui, acquiesce Mme Dorsel. Prends le plateau qui est posé au-dessus de l'évier dans la cuisine.

La fillette constitue un repas bien garni et l'apporte à sa cousine.

— Je n'ai pas faim, déclare cette dernière.... Mais laisse-le quand même, Dag sera content d'y goûter.

La benjamine des Cinq s'en va en retenant un petit rire. Tous les plats sont vides

quand elle revient chercher le plateau pour le débarrasser.

— Eh bien ! Ton chien mourait de faim, on dirait ! Il a même mangé les yaourts ! s'écrie-t-elle.

Et sa cousine sourit d'un air penaud.

— Tu descends maintenant ? On va jouer aux cartes.

— Non, merci. Je préfère rester seule ce soir. Demain j'aurai retrouvé mon entrain, c'est promis.

François, Mick, Annie et tante Cécile font une partie de tarot. Ils vont se coucher à l'heure habituelle. Claude est déjà dans son lit, profondément endormie, avec Dagobert comme édredon sur ses pieds.

— Je vais guetter les signaux de l'oncle Henri, annonce François. Oh ! que la nuit est noire !

Appuyé sur un coude, il regarde par la fenêtre dans la direction de l'île. À dix heures et demie précises, il aperçoit les six éclairs qui paraissent encore plus vifs

que d’habitude dans l’obscurité totale. Le jeune garçon pose sa tête sur l’oreiller. Prêt à bien dormir !

Il est réveillé un peu plus tard par une sorte de vrombissement. Il se redresse, s’attendant à voir le sommet de la tourelle s’illuminer, comme cela s’est déjà produit quand son oncle faisait ses expériences. Mais il n’y a pas le moindre embrasement. Même pas une étincelle. Le grondement s’évanouit, et l’aîné des Cinq se recouche.

— J’ai très bien vu les signaux d’oncle Henri, hier soir, dit-il à sa tante le lendemain matin.

— Moi aussi. Dis-moi, voudrais-tu guetter à ma place, ce matin ? Il faut que j’aille au village et je ne crois pas que je pourrais apercevoir les éclats de là-bas.

— Bien sûr ! Il est quelle heure ? Neuf heures et demie ! Je n’ai qu’une heure à attendre. Tu peux compter sur moi : je serai aux aguets.

Il se plante près de la fenêtre, avec un magazine. Il est d'abord interrompu dans sa lecture par Mick, puis par Annie et Claude. Cette dernière a retrouvé sa bonne humeur et s'efforce de se montrer doublement gentille pour faire oublier sa colère de la veille.

— On va à la plage, François ? demande-t-elle.

— Pas tout de suite. On pourra y aller dès que j'aurai vu les signaux. Il n'y en a plus que pour dix minutes.

À dix heures et demie précises, il regarde la tour. Ah !... voilà le premier reflet de soleil lancé par l'oncle Henri du haut de son observatoire.

— Un, compte le guetteur. Deux... trois... quatre... cinq... six... Le compte est bon !

Il est sur le point de se replonger dans sa lecture quand un autre éclat lui fait tourner la tête.

Sept !

Puis un autre et encore un autre. Douze en tout.

« Bizarre ! songe le jeune garçon. Pourquoi douze signaux ? Oh ! et ça recommence ! »

Il y a encore six projections de lumière. François aimerait bien avoir une longue-vue sous la main pour distinguer ce qui se passe dans la tour. Il entend soudain les autres qui montent l'escalier quatre à quatre. Ils se précipitent dans la chambre en parlant tous à la fois.

— Tu as vu ? Papa a envoyé dix-huit éclats au lieu de six !

— Tu as compté aussi ?

— Pourquoi il a fait ça ? Il est en danger ?

— Mais non, tente de les rassurer le jeune guetteur. Il veut simplement nous dire qu'il a besoin de quelque chose. Il faudra qu'on aille lui rendre visite aujourd'hui pour savoir ce qu'il veut. Peut-être d'autres provisions ?

Dès que tante Cécile rentre du village, les enfants proposent une expédition dans l'île. Elle est enchantée.

— Oui, c'est une excellente idée. Votre oncle essaie probablement de transmettre un message. Nous partirons tout à l'heure.

Claude court demander à Jean-Jacques de préparer le bateau. Sa mère bourre de victuailles un grand panier. Puis ils s'embarquent tous pour l'île de Kernach.

Après avoir contourné le banc d'écueils affleurants, dès l'entrée de la crique, ils aperçoivent l'oncle Henri qui les attend. Il les salue de la main et aide à tirer le bateau sur le sable sec quand ils abordent.

— Nous avons vu ton triple signal et nous voilà, annonce son épouse. Tu avais besoin de quelque chose ?

— Oui. Je meurs de faim. Qu'est-ce que tu as dans ton panier, Cécile ? Encore tes fameux sandwichs. J'en mangerai avec plaisir.

— Oh ! Henri... tu as encore sauté des

repas ? Et cette bonne soupe que je t'avais apportée, l'autre fois ?

— Soupe ? Quelle soupe ? l'oncle Henri a l'air surpris. Si j'avais su, j'en aurais avalé sans rechigner hier soir...

— Mais je t'en ai déjà parlé. Elle est sûrement gâtée maintenant. Il faut que tu la jettes. N'oublie pas, hein ? Jette-la. Où est-elle ? Je ferais peut-être mieux de m'en occuper moi-même.

— Non, non. Pas la peine de te déranger. Asseyons-nous et déjeunons.

C'est encore bien trop tôt pour déjeuner, mais tante Cécile déballe sans hésiter tous ses casse-croûte. Les enfants ont perpétuellement un creux dans l'estomac, aussi ne protestent-ils pas devant cette entorse aux horaires habituels.

— Eh bien, Henri, comment avance ton travail ? demande Mme Dorsel en voyant son mari engloutir sandwich après sandwich.

Elle commence à se dire qu'il n'a rien

dû manger depuis leur dernière visite. Et il y a deux jours de cela !

— Oh ! ça marche bien. Je suis très content, assure le savant. J'en arrive juste à un point assez compliqué et fort intéressant.

— Pourquoi est-ce que tu nous as envoyé tant de signaux ? interroge Annie.

— Ah ! oui... Eh bien, le fait est que... j'ai l'impression de ne pas être seul sur cette île.

— Henri ! Que veux-tu dire ?

Tante Cécile regarde par-dessus son épaule, comme si elle s'attendait presque à voir surgir quelqu'un. Tous les enfants observent le chercheur avec de grands yeux.

Il s'empare d'un autre sandwich.

— Oui, je sais que cela paraît invraisemblable. Personne n'a pu aborder ici. Mais je suis sûr qu'il y a quand même quelqu'un d'autre que moi.

— Oh ! Arrête tes plaisanteries, papa !

s'écrie Claude avec un frisson. C'est affreux ! Quand je pense que tu restes tout seul même la nuit !

— Qu'est-ce qui te fait penser qu'il y a un intrus sur l'île ? demande François.

— Eh bien, hier, quand j'ai eu terminé une de mes expériences, je suis sorti prendre l'air. Entre trois et quatre heures du matin, mais la nuit était encore très noire. Et j'ai entendu quelqu'un tousser, oui, et même tousser deux fois.

— Comment ! s'exclame tante Cécile. Tu as entendu quelqu'un tousser ? Tu es sûr que tu ne t'es pas trompé ? Il t'arrive d'imaginer des choses parfois, quand tu es fatigué.

— Oui, je sais bien. Mais dans ce cas, je n'ai pas l'ombre d'un doute : j'ai bien entendu un toussotement humain.

Il fouille dans sa poche et en sort un petit objet.

C'est un canif.

— Cet instrument ne m'appartient pas.

Et à aucun de vous non plus, je pense. Pourtant, il est tout neuf et ne comporte aucune trace de rouille. Je l'ai trouvé sur le sol ce matin. Je suis certain qu'il n'y était pas hier soir. Alors qui a égaré ce couteau ? Et comment cet inconnu est-il venu ici ? Personne n'est arrivé par bateau... et c'est la seule façon de parvenir ici.

Un long silence suit. Annie est effrayée. Elle considère son oncle tout en réfléchissant : qui donc était dans l'île ? Et pourquoi ? Et venu comment ?

— Que faut-il faire, Henri ? questionne tante Cécile. Qu'as-tu décidé ?

— Cela dépend de Claude. Si elle m'accorde ce que je lui demande, je peux rester ici sans courir aucun risque. Je veux garder Dagobert avec moi. Claude, acceptes-tu de me le prêter ?

chapitre 11

Oui... ou non ?

Rien ne vient rompre le silence. Claude scrute son père d'un air consterné. Tous les autres restent pétrifiés en attendant sa réponse.

— Écoute, papa... Dag et moi, on est inséparables..., articule-t-elle finalement d'une voix tremblante. Je comprends que tu le veuilles pour garde du corps, mais... dans ce cas, je veux rester aussi.

— Impossible, ma petite Claude ! répond le savant d'un ton catégorique. C'est hors de question. Tu accepteras bien de quitter un peu ton chien, non ? Puisque c'est pour assurer ma sécurité ?

L'adolescente a la gorge serrée. Elle n'a encore jamais eu à prendre une décision aussi pénible. Laisser Dagobert sur l'île alors qu'il y rôde un ennemi invisible prêt à lui faire du mal ?

Mais il y a aussi son père... Il risque peut-être sa vie s'il n'a personne pour le protéger.

— Je ne vois pas d'autre solution, insiste-t-elle. Je dois rester ici. Je ne peux pas abandonner Dago. Il m'en voudrait terriblement.

Son père commence à se fâcher.

— Si j'avais demandé à Mick, François ou Annie de me prêter leur chien, ils m'auraient répondu oui sans hésiter. Mais toi, il faut toujours que tu rendes les choses difficiles !

— Dag représente beaucoup pour moi !

Ce dernier rampe près d'elle et glisse son museau dans sa main. Elle le retient par le collier comme si elle ne pouvait pas

supporter d'être séparée de lui une seule minute.

Tante Cécile intervient avant que la situation ne dégénère tout à fait.

— Ma chérie, ton père a parfaitement raison. Ton chien doit demeurer à Kernach pour monter la garde. Mais je ne permettrai pas que tu y restes aussi. Je ne veux pas que vous soyez en danger tous les deux à la fois. Je suis déjà assez inquiète comme ça !

La jeune fille jette à sa mère un coup d'œil effaré.

— Oh ! maman, s'il te plaît, dis à papa que je dois accompagner Dago.

— C'est non ! Écoute, tu ne dois pas être égoïste. Si Dag pouvait décider lui-même, tu sais très bien qu'il choisirait de rester ici... et sans toi. Il se dirait : « On a besoin de moi sur cette île... de mes yeux pour surveiller l'ennemi... de mon flair et de mes oreilles pour guetter son approche silencieuse... et peut-être aussi

de mes crocs pour défendre mon maître. Je serai séparé de Claude pendant quelques jours, mais elle est bien assez grande pour pouvoir le supporter. » Voilà ce que Dag dirait.

Tous les enfants ont écouté attentivement ce discours inattendu. Ces mots sont bien les seuls qui puissent persuader leur cousine de céder sans grimaces.

Elle regarde son fidèle compagnon. Il la considère à son tour en agitant la queue. Puis il fait quelque chose d'extraordinaire : il se lève, se dirige vers Henri Dorsel et s'allonge près de lui. Puis il jette un coup d'œil à sa petite maîtresse, l'air de dire : « Voilà ! J'ai fait mon choix. »

— Tu vois, souligne tante Cécile, Dagobert est d'accord avec moi. Tu as la preuve que tu ne te trompais pas quand tu prétendais que c'était un bon chien. Il connaît son devoir. Tu devrais être fière de lui.

— Oh ! je le suis..., réplique l'adolescente d'une voix étranglée.

Soudain, elle se lève et s'éloigne tête baissée en lançant :

— D'accord, je le laisserai à Kernach avec papa. À plus tard !

Annie esquisse un pas pour rejoindre sa pauvre cousine, mais François la rattrape et la fait se rasseoir.

— Laisse-la tranquille. Ça vaut mieux. Brave Dago ! Tu es un bon chien !

L'animal agite la queue. Il ne tente pas de suivre sa maîtresse. Il est désolé de provoquer un tel chagrin.

— Henri, je n'aime pas du tout que tu sois ici avec quelqu'un qui t'espionne, reprend tante Cécile. Tu es obligé de rester encore combien de temps pour ton travail ?

— Quelques jours seulement, assure-t-il en regardant le chien avec admiration. Ce toutou a eu l'air de te comprendre par-

faitement. Il est venu tout de suite vers moi. C'est remarquable.

— Dag est très intelligent ! confirme Annie avec chaleur. Hein, Dag ? Oncle Henri, tu seras en sécurité avec lui. Il peut être féroce quand il le veut.

— Oh ! je n'en doute pas. Je n'aimerais pas qu'il me saute à la gorge ! Il est tellement vigoureux. Est-ce qu'il y a encore du gâteau ?

— C'est vraiment ennuyeux que tu ne manges pas régulièrement, soupire sa femme. Tu n'aurais pas aussi faim si tu déjeunais ou dînais comme tout le monde.

Le savant ne paraît guère impressionné par ces reproches. Il contemple sa tour.

— Vous avez déjà vu les fils du haut s'embraser ? interroge-t-il. C'est beau, non ?

— Tu veux inventer une nouvelle bombe atomique ? demande sa nièce.

— Non, Annie, jamais je ne mettrai au point des moyens de tuer les gens ! Non,

je suis en train de découvrir quelque chose qui rendra les plus grands services à l'humanité. Attends un peu et tu m'en diras des nouvelles.

Claude revient à ce moment.

— Papa, je te laisse Dago, mais j'aimerais bien que tu me promettes quelque chose.

— C'est-à-dire ? Pas de conditions ridicules, s'il te plaît. Je m'occuperai de ton chien comme il faut, si c'est cela qui te tracasse. Je peux oublier mes propres repas, mais tu devrais me connaître assez pour savoir que je ne négligerais pas un animal à ma charge.

— Oui, bien sûr, papa..., acquiesce la jeune fille qui n'a pas l'air tellement convaincue. Voilà ce que je voulais te demander : quand tu monteras nous faire des signaux le matin, pourrais-tu emmener Dag ? Je serai chez le garde-côte. Grâce à sa grosse longue-vue, je vous ver-

rai tous les deux. Je saurai que mon Dagobert se porte bien.

— D'accord, mais je doute qu'il parvienne à escalader les marches de la tour.

— Oh ! si. Il est déjà monté avec nous.

— Comment ! Ce chien a grimpé là-haut, lui aussi ? Bon, c'est d'accord, je te promets de l'amener avec moi tous les matins et de le faire agiter la queue en ton honneur. Voilà, tu es contente ?

— Oui, merci, papa. Et tu lui diras de temps en temps des choses gentilles ? Et tu le caresseras ?

— Oh ! Et quoi d'autre ? s'écrie son père dont la mauvaise humeur revient. Je lui préparerai un biberon trois fois par jour... et je ne manquerai pas de lui brosser les dents tous les soirs ! Tu rêves, Claude. Je traiterai Dag comme un chien adulte, un ami... et crois-moi, c'est ce qu'il attend de moi. N'est-ce pas, Dag ? Tu laisses toutes ces façons de bébé à ta maîtresse, hein ?

— Ouah ! fait Dagobert en frétillant de la queue.

Les enfants le contemplent avec admiration. Oui, c'est un animal vraiment très intelligent. Il a même l'air plus mûr, plus sage que Claude.

— Henri, intervient tante Cécile. Si jamais tu avais besoin d'aide ou d'autre chose, envoie-nous le même signal, mais triplé. Enfin, avec Dagobert, tu devrais être en sécurité : il vaut bien une douzaine de policiers à lui tout seul, mais on ne sait jamais.

— D'accord. Dix-huit éclats de lumière si je veux quoi que ce soit. Je m'en souviendrai. Maintenant il faut que vous partiez. Il est temps que je me remette au travail.

— Tu jetteras cette vieille soupe ? dit son épouse qui n'a pas l'air très rassurée sur ce point. Tu risquerais de te rendre malade si tu mangeais du potage tourné.

— À t'entendre, on croirait que je suis un gosse de cinq ans !

— Tu as le cerveau bien fait, nous le savons tous, mais tu es aussi très tête en l'air, réplique Mme Dorsel d'un ton taquin. Soigne-toi bien et ne quitte pas Dagobert.

— Papa n'a pas besoin de s'en préoccuper, souligne Claude. Mon chien ne le lâchera pas d'une semelle ! Tu es de garde, hein, Dag ?

— Ouah ! réplique gravement l'animal.

Il les accompagne jusqu'à la crique, mais il n'essaie pas de monter dans le bateau. Il reste à côté de l'oncle Henri et regarde ses compagnons s'éloigner sur l'eau dansante.

— Au revoir, Dago ! lance Claude d'une voix un peu rauque. Sois bien sage !

L'adolescente prend la place de Mick aux avirons et souque avec ardeur, le visage rougi par l'effort.

François arbore un regard amusé. Il a du mal, lui aussi, à suivre la cadence imposée par sa cousine ! Il devine que toute cette vigueur est le moyen adopté par la jeune fille pour dissimuler son chagrin d'être séparée de son chien.

Ils se mettent tous à jacasser comme des pies, pour que Claude ne se rende pas compte qu'ils lisent sa tristesse sur sa figure. La conversation porte, bien entendu, sur l'inconnu et son couteau.

— Je me demande comment il a pu venir à Kernach ? Aucun pêcheur n'aurait accepté de l'amener, c'est certain, raisonne Mick. Il a dû débarquer de nuit. Mais à part Claude, personne ne connaît la passe à travers les écueils et je doute que quelqu'un ait envie de la chercher dans l'obscurité. Les rochers sont trop proches les uns des autres et affleurent presque à certains endroits. Qu'un bateau dévie seulement d'un mètre dans sa course, et il a un trou dans la coque.

— Et personne ne peut faire la traversée à la nage, ajoute Annie. L'île est trop loin de la côte et les vagues sont trop fortes autour des rochers. Je me demande vraiment s'il y a quelqu'un sur l'île. Ce canif y était peut-être depuis plusieurs semaines.

— Il n'avait pas l'air d'avoir traîné par terre longtemps, souligne François. Cette affaire est un vrai mystère.

Il réfléchit, éliminant les unes après les autres les solutions qui lui viennent en tête. Puis il pousse une exclamation. Ses compagnons se tournent aussitôt vers lui.

— J'ai une idée !... J'ai entendu une espèce de vrombissement la nuit dernière ! C'était sûrement un moteur d'avion. Est-ce qu'on n'aurait pas pu parachuter quelqu'un sur l'île ?

— Facilement, répond Mick. Je crois que tu as trouvé la clé de l'énigme. Bravo ! Mais il faut vraiment que cet espion ait un grand intérêt pour les décou-

vertes de l’oncle Henri ; sinon, il ne se risquerait pas à atterrir sur une île aussi minuscule en pleine nuit. S’il est prêt à affronter un tel danger, qui sait jusqu’où il peut aller ?

Cette idée n’a rien de rassurant. Annie en a la chair de poule.

— Je suis contente que Dag soit là-bas, murmure-t-elle.

Et tous les autres en pensent autant, même Claude.

chapitre 12

Coup d'œil sur une vieille carte

Il est seulement une heure et demie quand ils rentrent à la villa. Sylvie est très surprise de les voir arriver.

— Déjà de retour ? s'écrie-t-elle. J'espère que vous n'allez pas me redemander à manger, car il n'y a plus une miette à vous mettre sous la dent. Il faudra me laisser le temps de courir chez le boucher.

— Oh ! non, merci, Sylvie... on a eu notre pique-nique, la rassure tante Cécile. Et on a bien fait de préparer autant de sandwichs, car mon mari en a dévoré près de la moitié à lui tout seul. Il n'avait pas

touché à cette bonne soupe que nous lui avions cuisinée.

— Ah ! les hommes ! Ce sont de vrais enfants.

— Oh ! proteste Claude. Nous, on n'oublierait jamais une bonne soupe maison !

— C'est vrai, je ne peux pas vous accuser de chipoter sur la nourriture, et Dagobert non plus. Mais, dites, où est-il donc ?

— Je l'ai laissé dans l'île pour veiller sur papa.

La cuisinière la regarde avec surprise.

— Tu es une bonne petite fille... de temps en temps, déclare-t-elle en souriant. Bon, et si vous avez encore faim parce que M. Dorsel a mangé la plus grande partie de votre déjeuner, allez donc regarder dans la boîte à biscuits. J'en ai cuit une fournée ce matin. Dépêchez-vous d'y goûter.

C'est la méthode de Sylvie pour conso-

ler les gens. Quand elle s'aperçoit qu'ils ont du chagrin, elle leur offre aussitôt ce qu'elle a de meilleur à ce moment-là dans sa cuisine. Les Cinq ne se font pas prier pour y courir.

— Ah ! vous êtes vraiment gentille, Sylvie, affirme tante Cécile. Je me sens plus rassurée maintenant que Dag est là-bas.

— Ah ! c'était bon ! commente Mick quand ils ont fini les biscuits. Je trouve que les cuisiniers devraient recevoir une décoration, comme les sportifs, les écrivains ou les savants. Je décernerais à Sylvie l'O.M.C.B.

— Qu'est-ce que c'est que ça ? demande François.

— L'Ordre du Mérite des Cordons Bleus. Qu'est-ce que tu croyais que c'était ? L'Office des Marchands de Caleçons de Bain ?

— Que tu es bête ! réplique son frère

en riant. Bon, alors qu'est-ce qu'on va faire exactement ?

— On pourrait explorer le tunnel de la carrière, suggère Claude.

François jette un coup d'œil par la fenêtre.

— Je crois qu'il va pleuvoir à torrents dans cinq minutes. Escalader les pentes de la carrière ne sera certainement pas facile avec de l'eau qui ruisselle partout. Mieux vaut attendre un jour de beau temps.

— Moi, j'ai une idée ! s'écrie Annie. Vous vous rappelez qu'on avait trouvé une vieille carte de l'île l'été dernier ? Elle était dans une boîte... Il y a dessus un plan du château. Si on la consultait ? Maintenant qu'on connaît l'existence d'une autre cachette, on arrivera sans doute à la repérer sur le plan ! Elle y est sûrement marquée, seulement on ne l'avait pas aperçue.

Les autres se montrent enthousiastes. Excellente idée !

La fillette rougit de plaisir en entendant les éloges de ses compagnons.

— En plus, ajoute Mick, c'est exactement ce qu'il faut pour passer le temps un jour de pluie. Où est cette carte ?

— Oh ! toujours dans sa boîte. Je vais la chercher ! décide Claude.

Elle grimpe l'escalier comme une flèche et redescend avec le précieux objet. C'est un parchemin épais, jauni par le temps. La jeune fille l'étale sur la table, et tous se penchent dessus.

— Vous vous souvenez comme on était heureux quand on l'a découverte ? demande François.

— Ça oui ! On n'arrivait pas à ouvrir le coffret et on l'avait lancé dans le jardin, du premier étage, pour qu'il se brise en tombant ! se remémore sa cousine.

— Et le bruit a réveillé notre oncle ! complète la benjamine du groupe en riant. L'oncle Henri est sorti, a ramassé l'étui et a refusé de nous le rendre.

— Exact ! s'exclame Mick. Et le pauvre François a dû attendre qu'il se soit rendormi pour regarder ce qu'il y avait dedans. C'est à ce moment qu'on a vu la fameuse carte. On a passé des heures et des heures à l'examiner !

Ils se remettent donc à étudier le précieux document. Il y a trois plans, un des souterrains, un du rez-de-chaussée et un du premier étage.

— Inutile de s'occuper du haut du château, déclare Claude. Tout est en ruine.

— Eh ! s'exclame soudain François en désignant un point sur la carte. Vous vous rappeliez que les souterrains avaient deux entrées ? Une qu'on a dénichée près du puits l'été dernier, et une autre qui a l'air de partir de la petite salle voûtée ! Je ne me souviens pas qu'on ait jamais découvert la deuxième...

— Tu as raison, confirme son frère, on n'en avait trouvé qu'une. Enlève ton

doigt... Regardez, il y a des marches ici, tout près de cettc sallc.

— Je n'arrive pas à me rendre compte si cette entrée communique avec les souterrains. La carte est un peu effacée. Mais on voit bien qu'il y a un passage souterrain qui va quclque part. Regardez, on dirait le tracé d'un tunnel juste après les marches. Je me demande où il mène ? Le plan est trop abîmé...

— Lc tunnel conduit aux souterrains, à mon avis, estime François. On ne les a jamais explorés à fond, ils sont trop vastes. Si on en avait fait le tour, on aurait sûrement vu l'escalier... Quoiqu'il soit peut-être en mauvais état...

— Moi, je suis persuadée que c'est cettc entrée-là que papa a découverte, déclare Claude. Et j'en ai même la preuve !

— Comment ça ?

— Lors de notre première visite à Kernach, l'autre jour, papa nous a raccompa-

gnés jusqu'au bateau. On a essayé de voir où il allait, sans succès, mais Mick a dit que les choucas s'envolaient de tous les côtés comme s'ils avaient été dérangés par quelqu'un... ce quelqu'un, c'était mon père !

Annie émet un petit sifflement approbateur.

— Bien raisonné ! complimente-t-elle. Tu as raison... les oiseaux nichent dans la tour, près de la petite salle voûtée. Ils se sont enfuis quand l'oncle Henri s'est approché pour regagner sa cachette !

— Je me demande comment papa a trouvé ce lieu, murmure sa cousine pensivement. Il aurait tout de même pu m'en parler. Ce n'est pas sympa de sa part.

— S'il n'a rien dit, c'est qu'il avait une raison, déclare Mick avec sagesse. Ne recommence pas à ruminer.

— Non, je suis intriguée, c'est tout. Ah ! comme j'aimerais qu'on puisse prendre le bateau maintenant, pour aller

à la découverte de ce mystérieux refuge ! On verrait tout de suite l'entrée. Papa a certainement laissé des traces de son passage, soit des herbes foulées, soit des plantes arrachées autour de la dalle qui ferme l'entrée.

— Vous croyez que l'ennemi qui rôde dans l'île connaît la retraite de l'oncle Henri ? interroge soudain Annie. J'espère que non. Il pourrait si facilement l'y emprisonner !

— Ne t'inquiète pas, la rassure son frère aîné. Dagobert monte la garde. Il est capable de tenir tête à une douzaine d'assaillants, tu sais...

— Pas s'ils sont armés..., murmure Claude d'un air sombre.

Il y a un silence. L'idée que Dagobert puisse être menacé d'un revolver les pétrifie.

— Bah ! pas la peine de nous inquiéter avant de savoir qui est réellement le rôdeur, affirme Mick en se levant. Si on

sortait se promener ? Il pleut encore un peu, mais les nuages se dissipent. Le soleil ne tardera pas à se montrer.

— Moi, j'irai chez le garde-côte ! annonce sa cousine. Je veux essayer de voir Dag avec sa longue-vue.

— Tu pourrais plutôt prendre tes jumelles, suggère François. Monte au grenier et regarde l'île de là-haut.

— Mais oui ! merci de l'idée.

Les jumelles sont accrochées dans l'entrée. Claude les sort de leur étui et grimpe l'escalier au pas de course. Mais elle redescend bientôt, l'air désappointé...

— Je n'arrive pas à voir l'île tout entière. Je distingue bien le haut de la tourelle, mais pas très nettement. Ce serait mieux avec la longue-vue, elle est plus puissante. J'ai envie d'y aller maintenant. Mais vous n'êtes pas obligés de m'accompagner.

Elle remet les lunettes à leur place.

— Si, on vient avec toi ! décide Mick.

Et je peux même t'annoncer dès maintenant ce qu'on apercevra dans la longue-vue !

— Quoi ?

— On verra notre cher Dag pourchasser les lapins et s'amuser comme un fou ! poursuit le garçon avec un large sourire. Pas besoin de craindre qu'il jeûne ! Il aura du lapin au petit déjeuner, du lapin à midi et du lapin le soir ! De vrais repas de luxe pour chien !

— N'importe quoi ! Tu sais très bien qu'il ne quittera pas papa d'une semelle et il ne pensera même pas à chasser.

— Eh bien moi, je parie que c'est pour ça qu'il voulait rester à Kernach : uniquement pour les lapins !

Claude lui jette un livre à la tête. Elle manque son objectif. L'ouvrage atterrit sur le plancher. Annie éclate de rire.

— Allez ! arrêtez, vous deux, sinon on ne sortira jamais. Viens, François, n'attendons pas ces deux bagarreurs !

chapitre 13

Un après-midi avec Christophe

Le soleil a réapparu quand ils arrivent près de la maison du garde-côte.

C'est une vraie journée d'avril avec des averses subites et le soleil qui sort brusquement de dessous les nuages. Tout scintille et surtout la mer. Le sol est détrempé, mais les enfants ont chaussé leurs bottes de caoutchouc.

Ils trouvent le garde-côte dans son hangar en train de manier le marteau en chantant.

— Bonjour, bonjour ! leur dit-il en souriant. Je me demandais quand vous

reviendriez. Que pensez-vous de cette gare que je viens de fabriquer ?

— Elle est magnifique ! déclare Annie d'un ton admiratif.

Et avec raison. Le vieux douanier n'a pas oublié le plus petit détail. Il désigne de la tête des figurines en bois qui représentent des voyageurs.

— Il ne leur manque plus que la peinture. Mon jeune voisin m'avait dit qu'il les peindrait mais il a eu un accident.

— Hein ? Qu'est-ce qui lui est arrivé ? demandent les Cinq d'une même voix.

— Je ne sais pas vraiment. Il a dû glisser et tomber. J'ai aperçu son père qui le ramenait chez eux. J'étais sorti pour le questionner, mais il était pressé parce qu'il voulait que Christophe s'allonge. Allez prendre de ses nouvelles. C'est un garçon un peu bizarre, mais il est gentil.

— Oui, c'est une bonne idée, approuve Claude. Mais avant, est-ce qu'on pourrait utiliser votre longue-vue ?

— Bien sûr ! Regardez tant que vous voulez. Je vous l'ai dit, ça ne l'usera pas. D'ailleurs, j'ai aperçu ce matin les signaux de M. Dorsel. J'observais la mer par hasard de ce côté-là. Il en a envoyé pas mal et pendant longtemps.

— Oui, répond la jeune fille. Je vais justement inspecter Kernach.

Elle pointe l'instrument. Mais elle a beau examiner l'île centimètre par centimètre, elle n'aperçoit ni son chien ni son père. Ils doivent être dans le laboratoire, sous terre... L'adolescente oriente la lunette vers la tourelle. La salle vitrée est vide, elle aussi. Claude soupire. Elle aurait aimé apercevoir Dagobert.

Les autres s'emparent à leur tour de la longue-vue, mais ils n'ont pas plus de chance que leur cousine. Il n'y a rien d'intéressant à l'horizon.

— Si nous allions prendre des nouvelles de Christophe ? propose François quand ils ont terminé leurs observations.

On dirait qu'une averse s'annonce. On pourrait attendre chez lui qu'elle soit passée ?

— D'accord, acquiesce Mick. Et Claude, ne t'inquiète pas : maintenant que je sais que M. Corton est journaliste, je saurai bien me tenir.

— Et moi, je ne « bavarderai pas comme toutes les filles », réplique la jeune fille gaiement. J'ai compris, je tiendrai ma langue.

— Bravo ! Tu parles comme un garçon !

Sa cousine hausse les épaules, mais elle est contente tout de même.

Ils entrent dans le jardin voisin. En approchant de la maison, ils entendent des éclats de voix.

— Non ! Tu ne penses qu'à tes pinceaux et à ta peinture... je croyais pourtant t'avoir fait sortir cette idée-là de la tête. Reste tranquille pour que ta cheville guérisse. Quand je pense que tu t'es fait

une entorse juste au moment où j'ai le plus besoin de toi !

Annie, effrayée, s'arrête. C'est la voix de M. Corton qui vient de la fenêtre ouverte. Il est en train de faire des reproches à son fils, c'est évident. Les Cinq se demandent s'ils vont entrer ou non. Puis une porte claque, et ils voient le père de Christophe qui s'éloigne rapidement au fond du jardin. Il se dirige vers le sentier qui mène au pied de la falaise. C'est là que s'amorce la route qui monte au village.

— Tant mieux, il est parti. Et il ne nous a pas vus, soupire Mick. Il n'a pas l'air commode, quand il se fâche... Quelle voix brutale et désagréable ! Venez, allons voir ce pauvre Christophe pendant qu'il est tout seul.

Ils frappent à la porte.

— C'est nous ! annonce joyeusement François. On peut entrer ?

— Oh ! oui ! répond une voix réjouie.

Les enfants pénètrent dans l'entrée en file indienne.

— On a entendu dire que tu avais eu un accident, commence Claude. C'est grave ?

— Non, je me suis tordu la cheville. C'était une chute toute bête...

— Tu seras vite rétabli, le rassure Annie. J'ai souvent eu des foulures : l'essentiel, c'est de marcher dès que tu peux poser le pied par terre. Comment tu es tombé ?

L'adolescent devient tout rouge, à la surprise de ses visiteurs.

— Je... je me promenais au bord de la carrière, avec papa, et... j'ai glissé. J'ai dévalé un bon bout de pente.

Il y a un silence que Claude est la première à rompre.

— J'espère que tu n'as pas parlé de notre secret à ton père ? Parce que ce n'est jamais très amusant quand il y a des adultes dans la confidence. Ils veulent

toujours fourrer leur nez partout... et c'est beaucoup plus drôle d'explorer sans eux. Tu ne lui as pas raconté notre découverte du trou sous la corniche, hein ?

Le blessé hésite et finit par dire :

— Si. Je ne pensais pas que ça vous ennuierait. Je regrette.

— Et zut ! s'exclame Mick.

— Jc suis désolé. Je ne savais que vous estimiez que c'était votre secret. Je n'avais aucune mauvaise intention... Mais mon père a décidé d'aller se rendre compte par lui-même.

— Les journalistes sont comme ça, remarque Claude. Ils veulent être sur place dès qu'ils ont une chance de découvrir de l'inattendu. C'est leur métier. Écoute, Christophe, n'en parlons plus. Mais essaie d'écarter ton père de la carrière. On préfèrerait y aller les premiers, même s'il n'y a rien d'incroyable à trouver.

Le silence se rétablit. Personnc nc sait

trop quoi dire. Il est difficile de bavarder avec leur hôte. Il ne ressemble pas aux autres garçons... il ne plaisante jamais et ne raconte jamais de bêtises.

— Tu ne t'ennuies pas, à rester couché ici ? questionne Annie.

— Oh ! si. J'aurais aimé que mon père aille chez le garde-côte chercher des petits personnages que j'avais promis de peindre, mais il a refusé. J'adore ça, la peinture, même quand il s'agit seulement de dessiner des habits sur des voyageurs ou des chefs de gare en bois...

Jamais le jeune homme n'en a dit aussi long ! Il a perdu son air triste. Il est devenu rayonnant.

— Tu veux être artiste plus tard ? interroge Mick. Moi aussi.

— N'importe quoi ! l'interrompt sa cousine en éclatant de rire. Tu n'es même pas capable de dessiner un chat qui ait l'air d'un chat ! L'autre jour, j'ai pris pour

un éléphant ce que tu prétendais être une vache !

Christophe sourit devant l'hilarité de la jeune fille.

— Jc peux vous montrer mes croquis, si vous voulez, propose-t-il. Je suis obligé de les cacher, parce que mon père ne veut pas que je choisisse le métier de peintre...

— Ne bouge pas, dit François, j'irai les chercher.

— Non merci. Je vais essayer de marcher puisqu'il paraît que ça me fera du bien.

Il se redresse et pose avec précaution son pied droit sur le parquet.

— Ça va, constate-t-il et il boitille jusqu'à la bibliothèque, de l'autre côté de la pièce.

Il passe la main derrière la seconde rangée de livres et extirpe un assez grand carton à dessin qu'il pose sur la table. Il en tire plusieurs feuilles de papier.

— Oh ! c'est tellement beau ! s'émerveille Annie.

Elle est un peu étonnée qu'un garçon dessine des fleurs, des arbres, des oiseaux et des papillons, surtout avec une telle perfection dans le détail et dans les couleurs. Son frère aîné examine également les images. Il les trouve aussi réussies que celles qu'il a vues dans des expositions.

— Ton papa estime que tu n'as pas assez de talent pour que ce soit la peine de continuer à te perfectionner ? demande-t-il.

— Il déteste mes croquis, explique Christophe avec amertume. Je m'étais enfui du collège pour m'inscrire aux Beaux-Arts, mais il m'a rattrapé et m'a interdit de peindre. Il trouve que c'est une occupation bête et inutile. Alors je le fais en cachette.

Les Cinq regardent le jeune artiste avec sympathie. Ne plus avoir sa mère et, de plus, avoir un père qui exècre ce qu'on

aime le plus leur paraît atroce. Rien d'étonnant que le jeune homme ait toujours l'air triste, malheureux et renfermé !

— Pas de chance, vraiment, murmure François. Est-ce qu'on peut faire quelque chose pour t'aider ?

— Oh !... vous pourriez aller chercher les bonshommes en bois chez le garde-côte ? Papa ne reviendra pas avant six heures. J'aurai le temps de les finir. Et restez goûter, ça me fera doublement plaisir.

— D'accord, acquiesce Claude. Je ne vois pas pourquoi tu n'aurais pas quelque chose pour te distraire tant que tu es cloué ici. Je vais téléphoner à ma mère pour la prévenir qu'on ne rentre pas tout de suite... Mais tu es sûr qu'on ne va pas manger toutes tes provisions ?

— Vous n'y arriveriez pas, assure Christophe. La maison est bourrée de vivres. Mon père a un appétit d'ogre !

François, Mick et Annie courent chez

le vieux douanier, pendant que leur cousine passe un coup de fil à la *Villa des Mouettes*. Ils rapportent plusieurs pots de peinture et des figurines, qu'ils installent sur une table à côté du blessé.

— Super ! déclare-t-il. C'est un petit travail sans grand intérêt, mais ça aide le voisin, et je suis toujours content quand j'ai un pinceau entre les doigts !

Il manie les nombreuses petites brosses avec dextérité et Annie, fascinée, s'assied pour le regarder. Les deux frères se chargent de préparer le goûter. Ils coupent des tartines, les beurrent, ouvrent un pot de miel, et disposent un gâteau au chocolat sur une grande assiette.

— Waouh ! C'est magnifique ! commente le jeune peintre. J'aimerais bien que mon père ne rentre pas avant huit heures. Mais, j'y pense, où est Dagobert ?

chapitre 14

Claude s'inquiète

Mick jette un coup d'œil à Claude. Dire à Christophe où se trouve Dago lui paraît sans danger, tant qu'on ne donne pas la raison pour laquelle il a été laissé dans l'île.

Mais sa cousine est décidée à tenir sa langue, désormais. Elle répond d'un ton très détaché :

— Dagobert ? Oh ! il va bien. On ne l'a pas amené avec nous aujourd'hui.

— Il a préféré accompagner ta mère au marché avec l'espoir d'une visite chez le boucher, je parie !

C'est la première plaisanterie du jeune

homme, et encore qu'elle ne soit pas des meilleures, les enfants rient de bon cœur. Leur hôte se montre ravi et s'efforce de trouver d'autres traits d'humour tout en peinturlurant de noir, de rouge et de bleu les figurines de bois.

Le groupe fait un goûter des plus copieux. Puis quand les aiguilles de l'horloge atteignent six heures moins le quart, les filles rapportent les personnages peints chez le garde-côte qui est enchanté du travail de l'artiste. Mick se charge des pots de peinture et du flacon où Christophe a planté ses pinceaux.

— Il est adroit, ce garçon ! s'émerveille le garde-côte en examinant les petits jouets. Pourtant, il a un air triste... J'aimerais tant qu'il retrouve la joie de vivre...

— Est-ce que je peux utiliser votre longue-vue une dernière fois ? Je voudrais observer Kernach avant que la nuit tombe, explique Claude.

Elle oriente l'instrument vers son île. Mais il n'y a pas trace de Dagobert ni de l'oncle Henri. Elle reste en observation un petit moment, puis rejoint ses cousins. Ils l'interrogent du regard et elle secoue la tête.

Les enfants ont lavé et rangé soigneusement toute la vaisselle du goûter. Personne n'a envie de voir M. Corton. Les Cinq ne ressentent plus grande sympathie pour lui maintenant qu'ils le savent si dur avec Christophe.

— Merci pour cet après-midi, dit ce dernier en les accompagnant d'un pas hésitant jusqu'à la porte. Je me suis bien distrait avec mes bonshommes, sans parler naturellement de votre compagnie !

— Tu devrais persévérer dans cette voie-là, conseille Annie. Si tu as l'impression que c'est la seule chose qui compte pour toi, il faut t'y consacrer.

— Je sais bien...

Le visage de Christophe redevient sombre. Il poursuit :

— Mais il y a bien des choses qui s'y opposent... des choses que je ne peux pas vous raconter. Bah ! ne vous inquiétez pas. Qui sait, tout s'arrangera et je deviendrai un artiste célèbre dont les gens s'arracheront les tableaux !

— Oh ! Va vite te rallonger ! chuchote François. Voilà ton père.

Les quatre visiteurs s'éloignent rapidement par le sentier de la falaise, apercevant du coin de l'œil M. Corton qui arrive dans la direction opposée.

— Quel homme horrible ! murmure Annie. Défendre à Christophe de faire ce qu'il aime le plus ! Et dire qu'il paraissait si gentil l'autre jour...

— J'espère qu'il n'est pas allé explorer le tunnel de la carrière..., intervient Claude qui s'est retournée et regarde l'homme rentrer chez lui par la porte de

derrière. Ce serait dommage qu'il gâche notre découverte.

— C'est sûr, confirme Mick. Enfin, au moins, on a eu droit à un succulent goûter !

— Oui, répond sa cousine distraitement en tournant la tête dans tous les sens.

— Qu'est-ce qui se passe ? demande François. Tu as perdu quelque chose ?

— Oh ! non... ce que je suis bête ! Je cherchais Dag. J'ai tellement l'habitude qu'il trottine sur mes talons que je ne peux pas me faire à l'idée qu'il n'est plus là.

— Je suis comme toi. J'ai l'impression qu'il y a quelqu'un d'absent. Sacré Dago, il nous manque à tous... mais probablement encore plus à toi, Claude.

— Oui, surtout ce soir. Je ne pourrai pas m'endormir.

— J'envelopperai un coussin dans une couverture et je le placerai sur tes pieds

quand tu seras au lit, propose Annie. Tu croiras que c'est ton chien.

— Impossible ! réplique la jeune fille. D'ailleurs ton coussin ne sentirait pas comme Dag. Il a une très bonne odeur.

La soirée passe rapidement à jouer au tarot. Puis les enfants se couchent et François guette de son lit le signal de l'oncle Henri. Inutile de préciser que Claude lui tient compagnie. Ils attendent dix heures et demie.

— C'est l'heure ! annonce l'aîné des Cinq.

Et au même instant, brille le premier éclat de la lampe au sommet de la tour.

— Un, compte sa cousine. Deux... trois... quatre... cinq... et six !

Elle s'attarde encore à la fenêtre pour voir s'il y a d'autres éclats, mais la tour reste sombre.

— Maintenant tu peux aller dormir tranquille. Ton père est en bonne santé, ce qui signifie que Dag l'est aussi. Oncle

Henri a dû se souvenir de lui donner un bon dîner, et il aura mangé aussi par la même occasion.

— Si papa avait oublié de nourrir mon chien, il aurait vite été rappelé à l'ordre ! Allez, bonne nuit les garçons. À demain.

Et l'adolescente retourne se glisser dans son lit. C'est bizarre de ne pas avoir Dagobert comme couvre-pied ! Elle se tourne et se retourne d'un côté sur l'autre, puis s'endort brusquement. Elle rêve de son île. Elle la parcourt avec son fidèle compagnon, et ils découvrent des lingots d'or dans les souterrains. C'est un rêve délicieux.

Le jour se lève. Le ciel d'avril est couvert d'épais nuages gris. Claude se penche à la fenêtre de la salle à manger, au moment du petit déjeuner.

— Tu espères voir ton chien ? demande François en riant. Allez, dans une heure tu pourras l'apercevoir au bout de la lorgnette du garde-côte.

— Tu crois que tu pourras distinguer Dagobert s'il est dans la tourelle avec ton père ? questionne tante Cécile. C'est loin pourtant.

— Oh si ! Cette lunette est très puissante, tu sais. Bon, je monte faire mon lit, puis je vais chez le vieux douanier. Qui m'accompagne ?

— On doit commencer à faire nos devoirs de vacances, répond Mick, d'un air sombre. On a promis à maman qu'on serait sérieux. Ça ne t'ennuie pas d'y aller toute seule ?

— Pas du tout, assure sa cousine. Je reviendrai dès que j'aurai aperçu Dag et papa. Et je me mettrai moi aussi au travail.

Elle disparaît dans sa chambre. Annie et ses frères prennent les livres dont ils ont besoin et s'installent à la table de la salle à manger. Quelques minutes plus tard, Claude leur crie au revoir et s'élance hors de la maison.

— Ma fille est un véritable ouragan..., soupire tante Cécile. Elle n'a pris ni vêtement de pluie ni bottes en caoutchouc.

Juste avant dix heures et demie, François monte guetter de sa fenêtre les signaux de son oncle. L'averse commence tout juste à s'abattre. À travers l'épais rideau de pluie, l'aîné des Cinq distingue les éclats habituels, qui brillent au nombre de six. Parfait ! Le jeune garçon retourne à ses livres, Mick grognant sous l'effort à côté de lui.

Il est onze heures moins cinq quand des pas précipités retentissent. Claude, hors d'haleine, fonce dans la pièce où ses cousins sont installés. Ils lèvent la tête. L'adolescente est rouge comme une pivoine, toute décoiffée par le vent, et trempée par la pluie. Elle s'efforce de reprendre son souffle et balbutie :

— François ! Mick ! Annie ! Il est arrivé quelque chose... Dag n'était pas là !

Encore haletante, elle se laisse glisser

sur une chaise. Ses compagnons s'aperçoivent qu'elle tremble..

— Croyez-moi, c'est très grave... Dagobert n'était pas dans la tour quand il y a eu les signaux.

— Ça prouve seulement que ton père a oublié de l'emmener avec lui, la rassure François. Qu'est-ce que tu as vu exactement ?

— J'avais mis la longue-vue en position. La pluie battait très fort, c'était un peu dur de régler l'appareil pour avoir une vision tout à fait nette. J'ai aperçu une silhouette qui entrait dans la salle vitrée. J'ai cherché mon chien tout de suite, bien sûr, mais il n'y était pas ! J'en suis certaine ! Il y a eu les six éclats de lumière, la silhouette a disparu, et voilà. Pas de Dago ! Oh ! je suis très inquiète...

— Tu as tort, intervient Mick. Ton père a complètement oublié de l'emmener, c'est tout. Du moment que tu as vu l'oncle Henri, c'est le principal.

— Il a pu fermer la porte de la tour, ce qui aura empêché Dag de grimper là-haut avec lui, ajoute à son tour Annie.

— Oui, c'est possible.

Claude plisse le front.

— Oh ! maintenant je vais me ronger les sangs toute la journée. J'aurais mieux fait de rester là-bas avec mon Dagobert ! Qu'est-ce que je vais faire ?

— Attendre, répond l'aîné du groupe.

— Je n'y arriverai jamais..., se lamente la jeune fille en se prenant la tête à deux mains. Personne ne se rend compte de l'affection que j'ai pour mon chien. Tu me comprendrais mieux, François, si tu avais un animal, toi aussi. C'est affreux. Oh ! Dag, est-ce que tu vas bien ?

— Évidemment qu'il va bien ! rétorque Mick d'un ton impatient. Ressaisis-toi un peu !

— Je sens qu'il est arrivé quelque chose ! répète l'adolescente avec obstina-

tion. François... je crois que je ferais bien d'aller tout de suite à Kernach.

— Arrête, maintenant ! Ne sois pas stupide ! Il ne se passe rien d'extraordinaire sinon que ton père n'a plus pensé à Dago. Il nous a envoyé son signal, c'est suffisant. Ne va pas déclencher une scène avec lui là-bas. Ce serait ridicule.

— Bon... j'essaierai d'être patiente, conclut Claude avec un air subitement résigné.

Mais ses traits tirés et ses yeux rougis révèlent l'état d'angoisse dans lequel elle se trouve. Qu'est-il arrivé à Dagobert ?

chapitre 15

Au cœur de la nuit

Claude ne souffle plus mot de ses craintes. Il y a de l'anxiété dans ses yeux bleus, mais elle est assez raisonnable pour ne pas révéler à sa mère l'inquiétude que lui cause la disparition de Dago.

Elle se contente de mentionner l'absence du chien dans la tourelle.

— Ha ! J'étais sûre qu'Henri oublierait de faire monter Dagobert. Il est toujours distrait quand il est plongé dans son travail !

Les enfants décident de se rendre à la carrière cet après-midi-là pour explorer le tunnel sous la corniche rocheuse. Le ciel

s'est éclairci. Ils se mettent donc en route après le déjeuner. Mais quand ils arrivent sur les lieux, ils n'osent pas se risquer sur les pentes glissantes. Les pluies diluviennes du matin les ont rendues trop dangereuses.

— Regardez ! dit François en montrant un endroit où les herbes et les buissons ont été arrachés ou écrasés. C'est là que Christophe est tombé hier, je parie. Il aurait pu se faire beaucoup plus mal qu'une entorse.

— Je propose d'attendre que la terre soit sèche pour nous lancer dans cette expédition, annonce Mick.

C'est contrariant. Ils ont apporté des lampes de poche et une corde, et ils comptaient bien s'amuser.

— Alors, qu'est-ce qu'on fait maintenant ? questionne Annie.

— Moi, je rentre à la maison, déclare Claude à la surprise générale. Je suis fatiguée.

Sa cousine l'examine.

— C'est vrai que tu es très pâle. Je retourne à la villa avec toi, déclare-t-elle.

— Non, merci. Je préfère être seule.

— Bon... on ira sur la falaise. Il y aura un vent délicieux là-bas. À tout à l'heure !

Ils partent. La maîtresse de Dago retourne sur ses pas en courant. Sa mère est sortie en compagnie de Sylvie. L'adolescente passe le réfrigérateur en revue et prélève quelques provisions qu'elle fourre dans un sac, puis elle quitte la maison avec la rapidité d'un éclair.

Elle s'en va trouver Jean-Jacques Loïc.

— Je veux savoir ce qui est arrivé à Kernach, lui explique-t-elle. Je suis inquiète pour Dag. On l'a laissé là-bas. Tu pourrais préparer mon bateau pour dix heures ce soir ? Mais surtout, n'en parle à personne.

Le jeune pêcheur se jetterait au feu pour Claude. Il accepte sans poser de questions.

— Aucun problème. Il sera prêt. Tu as quelque chose à arrimer dedans ?

— Oui, ce sac. Et surtout, ne me trahis pas. Je serai de retour à l'aube si Dagobert est sain et sauf.

Elle file comme une flèche vers la maison, en souhaitant tout bas que Sylvie ne s'apercevra pas trop tôt des larcins commis dans sa cuisine.

« Même si ce que je fais est mal, il faut que je le fasse, se répète-t-elle tout bas. J'ai le pressentiment qu'il est arrivé quelque chose à mon chien. Et je ne suis pas rassurée pour papa non plus. Il m'avait promis d'amener Dag dans la tourelle. Il n'aurait pas pu oublier une promesse pareille. Il faut que j'aille là-bas. À tout prix. »

Lorsqu'ils reviennent de leur promenade, François, Mick et Annie trouvent leur cousine nerveuse et distraite. Ils goûtent, puis jouent aux cartes. Claude ne se concentre pas, et se fait disqualifier au

début de chaque partie. Elle pense à autre chose. Au dîner, sa mère doit pratiquement la forcer à manger pour s'assurer qu'elle ne se couche pas l'estomac vide.

Puis c'est l'heure de se mettre au lit. Les filles regagnent leur chambre vers dix heures moins le quart. Fatiguée, Annie s'endort aussitôt. Dès que sa cousine entend sa respiration régulière, elle sort sans bruit de dessous ses couvertures et se rhabille. Elle enfile son pull le plus chaud, prend son imperméable, ses bottes de caoutchouc et une couverture de voyage très épaisse, puis descend l'escalier sur la pointe des pieds.

Elle quitte la maison par la porte de la cuisine et s'enfonce silencieusement dans l'obscurité. La nuit n'est pas aussi noire que d'habitude, car il y a un mince croissant de lune. Tant mieux, la petite fugitive y verra un peu pour manœuvrer son bateau au milieu des rochers. Bien qu'elle soit certaine de pouvoir aborder l'île même en pleine obscurité !

Jean-Jacques l'attend. Son bateau est prêt.

— Tes affaires sont dedans. Je vais te pousser. Sois prudente, recommande-t-il, et si tu heurtes un écueil, tire sur les avirons de toutes tes forces et tâche d'avancer le plus vite possible, au cas où le bateau aurait une voie d'eau et coulerait. C'est bon ?

Et voilà Claude partie. L'eau clapote doucement autour de la coque. La navigatrice saisit les rames et s'éloigne très vite du rivage. Elle réfléchit. A-t-elle tout ce dont elle pourrait avoir besoin ? Deux lampes de poche. Des provisions. Un ouvre-boîtes. Une gourde. Une couverture.

Pendant ce temps-là, François, étendu dans son lit, attend le signal de son oncle. Dix heures et demie. C'est le moment.

Ah ! les voilà... un... deux... trois... quatre... cinq... et six. Parfait. Seulement six.

Le jeune garçon se demande pourquoi sa cousine n'est pas venue dans leur chambre guetter les signaux avec lui et Mick comme elle l'a fait la veille. Il se lève, se glisse sans bruit jusqu'à la chambre des filles et passe la tête dans l'entrebâillement de la porte.

— Tout va bien, Claude, chuchote-t-il. Ton père nous a adressé ses signaux comme convenu.

Il n'obtient pas de réponse. Il entend seulement une respiration bien régulière.

« Les filles dorment déjà, pense-t-il. Eh bien, Claude ne devait pas se tourmenter tellement pour Dag, finalement ! »

François retourne se coucher et sombre dans le sommeil presque aussitôt. Il est loin de se douter que le lit à côté d'Annie est vide...

La tâche de sa cousine est plus

périlleuse qu'elle ne le pensait, car la lueur de la lune est très faible, et l'astre a le chic pour disparaître derrière un nuage juste au moment où la navigatrice aurait le plus besoin d'y voir. Mais avec art et prestesse, l'adolescente réussit quand même à trouver son chemin au milieu des écueils. Heureusement, la marée est haute, si bien qu'ils sont presque tous recouverts d'une bonne hauteur d'eau.

Le canot atteint enfin la crique. Là, pas une vague. Essoufflée, Claude tire son embarcation le plus haut qu'elle peut sur le sable sec. Puis elle s'arrête dans l'obscurité pour réfléchir. Que va-t-elle faire ? Elle ignore où se trouve exactement la cachette de son père, mais se doute qu'elle débouche vers la petite salle voûtée.

« C'est là qu'il faut que je me rende ! songe-t-elle. J'allumerai ma lampe une fois que j'y serai et je chercherai l'entrée

donnant accès à la cachette paternelle. Si je la découvre, j'y descendrai. Quelle surprise pour papa ! Et pour Dag... s'il est bien là lui aussi ! »

Elle prend la couverture d'une main, le sac de l'autre et se met en marche. Elle n'ose pas allumer sa lampe de poche tout de suite, au cas où l'ennemi inconnu rôderait par là. Après tout, son père l'a entendu tousser au beau milieu de la nuit !

La jeune aventurière n'a pas peur. Elle songe uniquement à s'assurer le plus vite possible que Dagobert est sain et sauf.

Elle arrive bientôt à la petite salle. Il y fait noir comme dans un four. Le faible éclat de la lune ne parvient pas à travers les meurtrières. Claude est obligée de se servir de sa torche électrique. Elle pose son sac le long du mur, près de la vieille cheminée. Elle installe sa couverture dessus, puis s'assied par terre pour se reposer, après avoir éteint sa lampe.

Au bout d'un moment, elle se lève avec

précaution et rallume. Elle commence à chercher l'entrée de la cachette. Où peut-elle bien être ? L'adolescente inspecte les dalles qui recouvrent le sol, mais aucune n'a l'air d'avoir été déplacée ou soulevée. Aucun indice ne permet de déceler une issue menant aux souterrains. Claude examine ensuite les murs. Là non plus, il n'y a pas trace d'une entrée dérobée. C'est énervant. Si seulement elle savait où est cette fameuse cachette !

Elle retourne près de la cheminée, s'enveloppe dans sa couverture et s'assied pour réfléchir. Il fait glacial. La jeune fille frissonne dans le noir tout en essayant d'élucider le mystère. Tout à coup un bruit la fait sursauter. Elle s'immobilise, retenant sa respiration. Qu'est-ce que c'est ?

Il y a un grincement bizarre, puis un son mat. Cela provient de l'énorme cheminée. Claude, pétrifiée, tend l'oreille et s'efforce de percer les ténèbres.

Elle aperçoit un rai de lumière dans l'âtre. Et entend tousser !

Est-ce son père ? Il toussote de temps en temps. Elle écoute attentivement. Le rai de lumière grandit. Puis l'aventurière entend un autre bruit, comme si quelqu'un sautait par terre. Et une voix :

— Venez !

Ce n'est pas la voix de son père. Claude se fige, glacée par la peur. Qu'est-il arrivé au savant ?... et à Dag ?

Une autre voix dans la cheminée :

— Je n'ai pas l'habitude de me déplacer comme un lapin dans un terrier, grommelle-t-elle.

Ce timbre n'est pas non plus celui d'Henri Dorsel. Ainsi, il n'y a pas un mais deux ennemis dans l'île.

Les inconnus quittent la salle voûtée sans se douter de la présence de l'adolescente. Elle devine qu'ils se rendent à la tourelle. Pour combien de temps ? Assez

pour qu'elle cherche par où ils sont sortis ?

Elle tend de nouveau l'oreille. Leurs pas résonnent maintenant dans la cour du château. L'adolescente va sur la pointe des pieds regarder dehors. Oui, la lumière de leur lampe se rapproche de la tour de verre. S'ils y montent, elle a largement le temps de trouver l'entrée secrète.

Elle rentre dans la salle voûtée. Ses doigts tremblent, et elle a du mal à pousser l'interrupteur de sa lampe de poche. Claude illumine l'intérieur de la vaste cheminée et... étouffe une exclamation : à la hauteur de ses épaules, au fond, dans le mur, il y a un trou noir ! Elle approche sa torche électrique. Une dalle mobile s'est rabattue sur ses gonds, découvrant un passage. Où mène-t-il ? Son père et son chien sont-ils retenus captifs au bout de ce tunnel, dans les oubliettes du château ?

Le souffle presque coupé par l'émotion,

la petite aventurière se dresse sur la pointe des pieds et éclaire l'ouverture. Des marches ! Elles s'enfoncent dans la paroi.

La fille du savant hésite, ne sachant quoi faire. Vaut-il mieux essayer de s'y infiltrer ? Elle risque de rester prisonnière... D'autre part, si elle demeure dehors, elle n'arrivera peut-être pas à rouvrir l'entrée secrète, au cas où les inconnus reviendraient et rabattraient la dalle. Ce serait encore pire.

« J'y vais, décide-t-elle soudain. Mais je ferais bien d'emporter mon sac et la couverture. Je ne tiens pas à ce que ces types s'aperçoivent de ma présence. Je pense que je pourrai cacher mes affaires quelque part en bas. Je me demande si cet accès conduit aux souterrains. »

Elle s'empare de son matériel et les lance dans le trou. Elle entend le sac dégringoler de marche en marche. Les boîtes de conserve s'entrechoquent à l'intérieur avec un bruit étouffé.

Puis elle se hisse dans la cavité à son tour. Quel escalier interminable ! Où peut-il bien aboutir ?

chapitre 16

Exploration souterraine

Claude descend avec prudence. Les marches sont étroites et raides.

« Elles sont taillées dans l'épaisseur du mur, songe la jeune fille. Oh ! oh ! voilà que le passage se rétrécit. »

À tel point qu'elle doit avancer en crabe.

« Jamais quelqu'un de gros ne pourrait passer par là, se dit-elle. Ah ! l'escalier se termine ici. »

En cours de route, elle a ramassé son sac et drapé la couverture sur ses épaules. De sa main libre, elle tient sa lampe. L'ombre est impénétrable et le silence

total. La petite exploratrice n'a pas peur, car elle s'attend à voir surgir son chien d'un moment à l'autre. Comment s'effrayer quand Dag est là, tout près ?

Au bas des marches s'ouvre une galerie qui oblique brusquement sur la gauche.

« Est-ce qu'elle va vers les oubliettes ? s'interroge Claude. Elles ne sont pas très loin, mais je n'aperçois rien qui les annonce par ici. »

Elle avance le long du tunnel. À un moment, la voûte s'abaisse tellement que Claude est presque obligée de ramper. Elle éclaire cette voûte avec sa lampe et voit une espèce de roche noire qui a visiblement résisté aux efforts des ouvriers chargés de percer le souterrain.

Il est interminable, ce tunnel. La jeune fille est intriguée. Elle devrait avoir déjà rencontré l'entrée des oubliettes. Elle est à mi-chemin du bord de l'île à en juger par la distance parcourue. Comme c'est bizarre ! Alors le tunnel ne rejoint pas les

cachots ? Encore une centaine de mètres, et elle sera sous la mer.

Le boyau plonge de plus en plus profond. Le sol a une forte déclivité, puis il y a encore des marches grossièrement taillées dans le roc. Claude les descend avec précaution.

Au pied des marches, la galerie a l'air creusée en plein cœur d'un rocher. À moins que ce ne soit un passage naturel ? Le rayon de la lampe-torche révèle une voûte noirâtre, et un sol pierreux et irrégulier. L'adolescente aimerait bien avoir Dag auprès d'elle.

« Je dois être à une très grande profondeur maintenant, pense-t-elle en s'arrêtant pour éclairer les parois autour d'elle. Et très loin du château. Oh ! qu'est-ce que c'est que ça ? quel vacarme ! »

Elle écoute. Elle perçoit une espèce de grondement. Son père est-il en train de faire une de ses expériences ? Le vrom-

bissement se répète sans arrêt, accompagné de mugissements.

« On dirait... le bruit de la mer ! »

Stupéfaite, Claude s'immobilise pour écouter.

« Mais oui, c'est la mer. Je suis en dessous de la baie de Kernach ! »

Et la pauvre exploratrice commence à avoir peur. Elle pense aux grandes vagues qui passent au-dessus d'elle, à peine quelques mètres plus haut... Et s'il y avait une faille dans la roche ? L'eau commencerait à s'insinuer dans le tunnel sous-marin...

« Allons, ne sois pas idiote, se reprend-elle sévèrement. Ce passage existe depuis des centaines d'années. Pourquoi s'écroulerait-il juste quand tu es dedans ? »

Sans cesser de s'admonester pour ne pas perdre courage, Claude continue sa progression. C'est vraiment bizarre de penser qu'elle marche sous la mer.

Et tout à coup, la jeune fille se rappelle

ce qu'avait dit son père lorsqu'ils sont tous venus le voir sur l'île pour la première fois.

« Il a expliqué qu'il avait besoin d'avoir de l'eau autour et au-dessus de lui pour son travail. Je comprends maintenant ce qu'il voulait dire. Son laboratoire doit se trouver par là, dans ce boyau sous-marin ! »

Voilà ce qui expliquerait que son père ait choisi Kernach pour poursuivre ses expériences. Mais comment a-t-il découvert ce passage secret ?

« Je ne me doutais même pas de son existence, et pourtant je connais mieux l'île que lui, se dit Claude. Holà !... qu'est-ce que c'est que ça ? »

Elle s'arrête. Le tunnel s'agrandit brusquement et forme une espèce de grotte dont la haute voûte se perd dans l'ombre épaisse.

Claude examine avec surprise ce qui se dessine à la lueur de sa lampe : des objets

étranges dont elle ne comprend pas l'usage. Il y a des fils, des câbles en métal, des boîtes en verre... Et de minuscules machineries, en mouvement sans produire un son, et dont le centre s'illumine d'une sorte diode frémissante.

Des étincelles jaillissent de temps en temps, et une odeur bizarre se répand alors dans la caverne.

« Qu'est-ce que c'est que tout ça ? Je me demande comment papa arrive à se débrouiller avec tous ces appareils. Mais surtout : où est-il maintenant ? J'espère que ces hommes ne l'ont pas enfermé quelque part... »

À l'autre bout de la grotte, il y a un autre tunnel. Claude s'y engage. Il ressemble au premier, sauf qu'il est plus large. La jeune fille débouche dans une autre grotte, plus petite que la précédente et encombrée d'une multitude de fils.

On entend une sorte de bruissement, un peu comme dans une ruche. À part cela,

personne. Une autre caverne s'annonce ensuite.

Mais à l'intérieur, il n'y a absolument rien. Le froid y est glacial. La petite aventurière frissonne. Encore un tunnel, encore une grotte. Et la première chose qu'elle aperçoit au-delà de cette dernière, c'est une lumière !

Approche-t-elle de l'endroit où se trouve son père ? L'adolescente examine d'abord la galerie où elle se tient et découvre des boîtes de conserve, des bouteilles d'eau, du chocolat et des vêtements. Ah ! C'est là que le savant range ses provisions ! Claude se dirige vers la lueur qu'elle a vue plus loin, en se demandant pourquoi son chien n'accourt pas pour lui dire bonjour.

Elle s'arrête à l'entrée de la caverne éclairée et l'inspecte d'un œil prudent. Assis à une table, la tête dans ses mains, immobile comme une statue de pierre, il

y a quelqu'un... son père ! Mais pas de Dag.

— Papa !

Henri Dorsel sursaute et se retourne. Il regarde sa fille comme s'il n'en croyait pas ses yeux. Puis il enfouit de nouveau sa tête dans ses mains.

— Papa ! répète la jeune exploratrice, le cœur serré parce qu'il ne lui a rien dit.

Il se retourne encore, et cette fois il se lève. Il examine la nouvelle venue, puis se laisse retomber lourdement sur sa chaise.

— Oh ! papa, qu'est-ce qu'il y a ? Qu'est-ce qui se passe ?

— C'est donc bien toi, Claude ? J'ai cru que j'avais une hallucination en t'apercevant. Comment se fait-il que tu sois ici ? C'est invraisemblable !

— Je voulais m'assurer que toi et Dag alliez bien... J'étais inquiète... Explique-moi ce qui t'est arrivé ? Et mon chien ? Il est où ?

La jeune fille jette un coup d'œil autour d'elle, mais ne voit pas trace de l'animal. Son sang se glace. Serait-il arrivé quelque chose à Dagobert ?

— As-tu rencontré deux hommes tout à l'heure ? demande le savant.

— Oui... Où est Dago ?

— Je n'en sais rien. Sont-ils allés à la tourelle ?

— Exact. Oh ! papa, qu'est-ce qui se passe ?

— S'ils sont là-bas, nous avons une heure de répit. Maintenant, Claude, écoute-moi bien. Il se passe une chose très grave.

— Je t'écoute. Mais dis-moi vite où est mon chien.

— Ces deux types ont été parachutés sur l'île pour tenter de découvrir mon secret. Mes expériences ont pour but de trouver un moyen de remplacer le pétrole, afin de donner au monde une nouvelle source d'énergie : l'énergie thermique.

Elle est beaucoup moins coûteuse, et beaucoup moins polluante...

— Oh ! c'est merveilleux !

— Oui, et je veux que les résultats de mes recherches servent le monde entier, non pas une poignée d'industriels. Ils seront à la disposition de l'humanité tout entière. Mais des hommes d'affaires convoitent mon secret pour en tirer une fortune colossale.

— Pas possible... Mais comment connaissent-ils l'objet de tes expériences ?

— Je travaillais dessus avec quelques collègues. Et l'un d'eux nous a trahis. Il est allé parler de mon projet à des chefs d'entreprise très puissants. Lorsque je l'ai appris, j'ai décidé de m'installer ici et de terminer l'expérimentation tout seul.

— Et tu as choisi mon île !

— Oui, parce que j'avais besoin d'avoir de l'eau tout autour de moi. J'avais regardé par hasard une reproduction de la vieille carte de Kernach et je

me suis dit que si le tunnel indiqué dessus, celui qui part de la petite salle voûtée, conduisait réellement sous la mer, ce serait l'endroit idéal pour finir mes travaux.

— Oh ! papa... et j'ai fait tant d'histoires..., murmure Claude, honteuse, en se rappelant ses colères.

— Bref, j'ai apporté tout mon matériel... Mais lorsque ces hommes m'ont découvert, ils m'ont emprisonné ici.

— Je n'ai qu'à retourner chercher de l'aide ! Les malfrats ne savent pas que je suis ici !

— C'est trop dangereux... il ne faut pas qu'on te voie, ma chérie.

— Papa, dis-moi ce qui est arrivé à Dag.

— Il ne m'a pas quitté une seule minute. C'est vraiment un chien merveilleux. Et ce matin, juste au moment où je sortais de ma cachette dans la petite salle voûtée pour aller avec lui vous

envoyer mes signaux, les deux hommes m'ont bondi dessus et m'ont contraint à revenir ici.

— Mais Dagobert ? répète Claude avec impatience.

— Il leur a sauté à la gorge, mais l'un d'entre eux lui a lancé une sorte de lasso et a réussi à le capturer. Ils ont tellement tiré sur leur corde qu'ils l'ont à moitié étranglé.

— Oh ! pauvre Dag ! murmure la jeune fille, les joues humides de larmes. Papa... tu crois qu'il.. ?

— Ne t'inquiète pas. D'après ce que j'ai entendu mes ennemis dire plus tard, je pense qu'ils l'ont enfermé dans une petite grotte. En tout cas, j'en ai vu un sortir d'un sac une poignée de biscuits. Il semble donc que ce brave Dag est sain et sauf... et affamé !

L'adolescente pousse un énorme soupir de soulagement. Son chien est vivant.

Soudain, elle fait quelques pas en direc-

tion de ce qui lui paraît être une autre grotte.

— Je vais chercher Dag, papa ! annonce-t-elle.

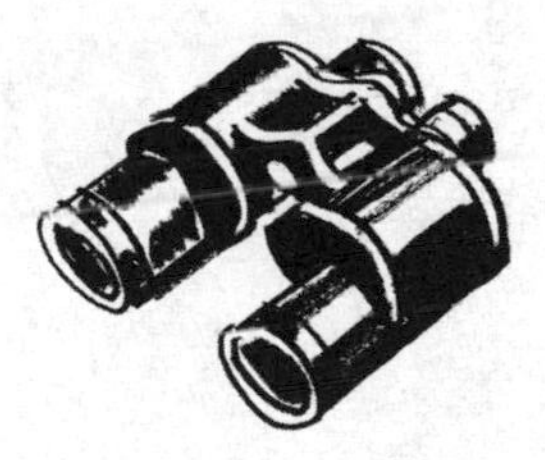

chapitre 17

Dag !

Son père la rappelle vivement :

— Non, Claude, attends ! J'ai quelque chose d'important à te dire.

La jeune fille revient sur ses pas, bouillant d'impatience. Il faut qu'elle retrouve son chien !

— Écoute, explique Henri Dorsel. J'ai ici un carnet où j'ai noté toutes les formules de ma découverte. Personne ne l'a encore vu. Je veux que tu le rapportes à la maison. Ne le perds pas. Si ces hommes s'en emparaient, ils auraient tous les renseignements qu'ils désirent.

— Mais tu ne crois pas qu'ils en ont

appris suffisamment en regardant tes fils et tes machines ?

— Ils en savent beaucoup, mais cela ne suffit pas. Je n'ose pas détruire ce carnet, car mon projet serait réduit à néant s'il m'arrivait quoi que ce soit. Je te le confie, ma petite Claude. Tu le remettras en main propre à la personne dont je vais te donner l'adresse.

— C'est une lourde responsabilité..., murmure l'adolescente, émue à l'idée de se charger d'un objet si précieux pour son père, mais aussi pour le monde entier. Mais je ferai de mon mieux, papa. Je me cacherai dans une des grottes en attendant que les espions reviennent, puis je me faufilerai dans le tunnel jusqu'à la salle voûtée, je sauterai dans mon bateau et je ramerai le plus vite possible jusqu'à la plage. Je donnerai ton carnet et je demanderai qu'on t'envoie de l'aide.

— Bravo ! Tu as tout compris ! la félicite son père en l'embrassant. Décidé-

ment, tu es aussi courageuse qu'un garçon ! Je suis fier de toi.

La petite aventurière songe que son père ne lui a jamais adressé de si grands compliments. Elle sourit.

— D'abord, il faut que j'essaye de trouver Dag. Je veux m'assurer qu'il n'a besoin de rien.

— D'accord. L'homme qui a pris les biscuits est parti dans cette direction... encore plus loin sous la mer. Attends, il faut que je te confie mon carnet avant que tu partes.

Son père se lève, prend une caisse qu'il pose au pied de la paroi, dans le fond de la grotte, et monte dessus. Il tâte avec la main le long d'une corniche sombre jusqu'à ce qu'il trouve ce qu'il cherche : un petit cahier. Il l'ouvre et Claude voit des diagrammes dessinés à la perfection et des notes qui couvrent des pages entières, de la petite écriture nette de son père.

— Voilà, dit ce dernier en lui tendant

l'objet. Fais de ton mieux. S'il m'arrivait quelque chose, ce carnet permettrait à mes collègues de transmettre mon idée à l'humanité. Si je m'en tire, je serai content d'avoir ce calepin, parce que cela m'évitera de recommencer mes expériences pour retrouver les formules.

Sa fille fourre le précieux bloc-notes dans sa poche.

— Il est en sécurité avec moi, papa. Maintenant je vais à la recherche de Dag, sinon ces deux hommes seront de retour avant que j'aie le temps de me cacher dans une des cavernes.

Elle quitte l'antre de son père et débouche dans un autre qui est complètement vide. Elle poursuit sa route le long d'un tunnel qui serpente dans le roc.

Et soudain elle entend le bruit qu'elle guette depuis si longtemps : un glapissement !

« C'est Dag ! pense Claude. Je viens, Dag, j'arrive ! »

Le chien cesse de gémir. Silence. Puis :

— Ouah ! Ouah ! Ouah !

L'animal aboie joyeusement. La jeune fille manque de tomber en essayant de courir dans le tunnel étroit. À la lueur de sa lampe, elle aperçoit un gros rocher qui bouche l'entrée d'une espèce de petite caverne creusée dans la paroi du tunnel. Et derrière le rocher, Dagobert jappe et gratte le sol avec frénésie.

Sa maîtresse pousse la pierre de toutes ses forces. Celle-ci bouge un peu. L'adolescente pousse encore. La masse de roc est trop pesante pour elle, mais l'énergie du désespoir décuple ses forces. Le rocher roule subitement de côté, et la petite aventurière a juste le temps d'écarter son pied, avant qu'il soit écrasé.

Dago se faufile dans l'espace ainsi dégagé et se jette sur Claude qui tombe par terre, les bras serrés autour de son protégé. Il lui lèche la figure avec des

gémissements de joie. La jeune fille enfouit son nez dans les poils épais.

— Dag, qu'est-ce qu'on t'a fait, hein ? Tu sais, je suis venue dès que j'ai pu !

Le chien ne cesse de gémir, de la pourlécher et de lui poser les pattes sur les épaules comme pour compenser tout le temps où il a été séparé d'elle.

— Écoute, on a beaucoup à faire. Papa nous a confié une mission. Il faut qu'on s'échappe d'ici et qu'on demande de l'aide.

— Ouah ! fait Dagobert.

Claude se relève et éclaire l'intérieur de la prison où Dag a été enfermé. Elle découvre un bol plein d'eau et des croquettes. Les malfrats ne l'ont donc pas trop maltraité.

— Dépêchons-nous maintenant... On va se cacher en attendant que les hommes reviennent de la tourelle. Puis on sortira par la petite salle voûtée et on ramera jusqu'à la plage.

Le chien se met soudain à gronder, et son poil se hérisse. Sa maîtresse se fige et tend l'oreille.

Une voix sévère retentit dans le tunnel.

— Eh ! Je ne sais pas qui vous êtes ni d'où vous venez, mais si jamais vous délivrez ce chien, je vous garantis qu'il sera abattu ! Voici la preuve que je suis armé !

Une déflagration assourdissante se répercute soudain sous la voûte : l'homme vient de tirer un coup de revolver. La balle ricoche contre la paroi. Claude et Dagobert sursautent. Ce dernier s'apprête à s'élancer aussitôt dans le tunnel, mais sa maîtresse le retient par le collier. Elle a très peur et essaie de deviner ce qu'il vaut mieux faire.

Les échos du coup de feu n'en finissent pas de résonner. C'est terrifiant. Dago a cessé de gronder.

— Alors ? reprend la voix. Vous avez entendu ce que j'ai dit ? Si ce chien est libéré, il sera tué. Je n'hésiterai pas. Et

vous, qui que vous soyez, approchez ! Je veux voir votre visage ! Mais je vous avertis... si le chien est avec vous, il y passera !

La fille du savant murmure à l'oreille de son fidèle compagnon :

— Cours te cacher quelque part ! Vite !

Mais d'un coup, son cœur se serre. Elle a sur elle le précieux carnet de son père ! Dans sa poche ! Si l'espion le découvre ?

L'adolescente sort vivement le cahier et le tend à son chien.

— Prends ça entre tes dents, Dag, emporte-le. Cache-toi jusqu'à ce qu'il n'y ait plus de danger. Vite ! Va, Dag, va ! Je ne risque rien.

À son grand soulagement, Dag prend le calepin et s'enfonce dans le tunnel qui s'éloigne sous la mer. Pourvu qu'il trouve une bonne cachette...

— Alors ? hurle l'inconnu avec colère. Allez-vous avancer, oui ou non ?

— Je viens ! lance Claude, d'une voix mal assurée.

Et elle avance dans la galerie. Elle aperçoit bientôt de la lumière et, quelques secondes plus tard, elle se tient sous le rayon d'une puissante torche électrique. Une exclamation de surprise retentit.

— C'est pas vrai ! Un gamin ! Qu'est-ce que tu fais ici et d'où sors-tu ?

Le malfrat prend la jeune fille pour un garçon à cause de ses cheveux courts. Il baisse son revolver quand il voit à qui il a affaire.

— Je suis venue retrouver mon père et sauver mon chien !

— Impossible ! Nous les retenons prisonniers, comme tu as pu t'en rendre compte.

— Oui..., répond Claude.

Apparemment, son adversaire pense que Dagobert est encore enfermé dans la petite grotte. Tant mieux !

Puis elle entend la voix anxieuse de son

père qui l'appelle un peu plus loin, derrière l'inconnu :

— Claude ! C'est toi ? Tu vas bien ?

— Oui, papa ! répond la jeune fille.

L'homme lui fait signe d'approcher, puis la pousse jusqu'à la caverne d'Henri Dorsel.

— Je vous ramène votre gamin, déclare le malfrat. Quel imbécile ! Il s'imaginait qu'il réussirait à remettre ce molosse en liberté.

Un second espion surgit à l'autre bout de la caverne. Il est stupéfait en apercevant Claude. Son acolyte explique :

— Quand je suis descendu ici, j'ai entendu du bruit, le chien qui aboyait et quelqu'un qui lui parlait... et j'ai trouvé ce gosse qui essayait de le délivrer !

— Mais comment ce garçon est-il arrivé ici ? demande l'autre, pas encore revenu de sa surprise.

Claude raconte qu'elle a guetté l'apparition de Dag dans la tourelle et que son

absence l'a inquiétée. Alors elle a pris son bateau et a débarqué dans l'île en pleine nuit. Elle a vu d'où les hommes sont sortis. Elle est entrée dans le tunnel et ne s'est arrêtée que lorsqu'elle a atteint la caverne de son père.

Les hommes l'écoutent en silence.

Le savant la regarde avec anxiété. Elle devine sa pensée : qu'est devenu le précieux carnet ? A-t-elle eu le temps de le cacher ?

Le second compère s'écrie :

— Voilà qui complique les choses ! Si tu ne rentres pas, on va s'apercevoir de ton absence... Ta mère va se mettre à te chercher. Elle viendra peut-être même prévenir ton père. Nous ne voulons personne pour nous déranger ici...

Il se tourne vers Henri Dorsel :

— Si vous nous dites ce que nous voulons savoir et si vous nous donnez vos formules, nous vous remettrons en liberté. Et nous disparaîtrons.

— Et si je réponds encore une fois non ?

— Alors nous ferons sauter l'île, réplique l'homme d'une voix subitement durcie. Quant à vous, on ne vous retrouvera jamais, parce qu'on vous emprisonnera ici...

Il y a un profond silence. Claude regarde son père. Il finit par dire :

— Vous ne feriez pas une chose pareille. Cela ne servirait à rien.

— Nous ne sommes pas là pour discuter. Réfléchissez. Nous vous accordons jusqu'à dix heures et demie demain matin... Vous avez bien compris : soit vous parlez, soit l'île saute !

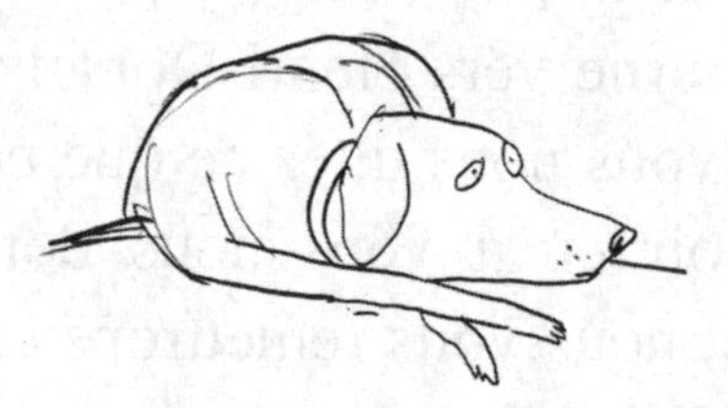

chapitre 18

Quatre heures et demie du matin

Les deux malfrats quittent la caverne, laissant Claude et son père ensemble. Dès que les hommes sont hors de portée de voix, le savant murmure :

— Tant pis, il va falloir leur remettre mon carnet. Je ne peux courir le risque de te voir ensevelie ici, ma chérie.

— Papa, je n'ai plus ton carnet. Je l'ai donné à Dag. J'ai réussi à déplacer la pierre qui bloquait l'entrée de sa prison. J'ai confié le calepin à mon chien et je lui ai ordonné d'aller se cacher jusqu'à ce que je l'appelle.

— Beau travail ! Alors... peut-être que

si tu amenais Dag ici, il maîtriserait nos deux ennemis avant qu'ils aient le temps de réagir. Il est parfaitement capable de les dominer en les jetant à terre tous les deux à la fois.

— Oui. C'est notre seule chance. Je vais le chercher. J'avancerai un peu dans le tunnel et je le sifflerai.

Claude se munit de sa lampe électrique et part dans le tunnel qui mène à l'ancien cachot de Dagobert. Elle siffle très fort et attend. Pas de Dag. Elle siffle de nouveau et avance encore un peu. Toujours rien.

Elle appelle :

— Dag ! Ici, Dag !

Mais le chien ne paraît pas. Pas d'aboiement joyeux, pas de bruit de pattes pressées.

« J'espère qu'il n'est pas allé trop loin..., songe la jeune fille. Je vais continuer à avancer. »

Elle poursuit son chemin dans le tunnel. Après un tournant, elle s'aperçoit que

celui-ci se sépare en trois. Trois galeries différentes, toutes aussi noires, aussi froides et aussi silencieuses les unes que les autres. Laquelle prendre ? L'aventurière s'engage dans celle de gauche. Mais cette dernière se divise encore en trois un peu plus loin. Claude réfléchit.

« Si je continue, je vais me perdre dans ce labyrinthe. C'est trop effrayant. »

— Dago ! Dago !

Sa voix se répercute le long du souterrain d'une façon bizarre. L'adolescente revient sur ses pas et arrive dans la caverne de son père, le cœur serré.

— Papa, mon chien a disparu. Il a dû s'enfoncer dans un passage et se perdre. C'est affreux. Au-delà de cette grotte, il y a tout un réseau de souterrains. À croire que le fond de la mer a été creusé en tous sens...

Elle s'assied, l'air abattu.

— Il faut mettre au point un autre plan, déclare le savant.

— Je me demande ce que diront Annie et les garçons quand ils se réveilleront : ils s'apercevront tout de suite que je ne suis pas dans mon lit. Ils viendront peut-être me chercher.

— Cela ne nous avancerait pas beaucoup. Nos ennemis descendraient attendre ici qu'ils soient partis, et personne ne nous découvrirait. Les autres ne connaissent pas le passage secret de la salle voûtée, n'est-ce pas ?

— Non. S'ils débarquent, ils ne l'apercevront certainement pas. On avait déjà bien regardé partout. Et ils risqueraient de sauter avec l'île. C'est affreux !

— Si seulement on savait où est Dag ! réplique Henri Dorsel. Ou si on pouvait envoyer un message pour prévenir les autres de ne pas mettre le pied sur l'île... Quelle heure est-il ? Trois heures et demie ? Tes cousins doivent dormir.

L'oncle Henri ne se trompe pas. Fran-

çois, Mick et leur sœur sont plongés dans un profond sommeil, si bien que personne ne sait que le lit de Claude est vide.

Mais, vers quatre heures et demie, Annie se réveille car elle a trop chaud.

Elle se lève, ouvre la fenêtre et regarde dehors. Les étoiles ont disparu et l'eau de la baie scintille faiblement.

— Claude, tu dors ? murmure la fillette.

Pas de réponse. La benjamine du Club des Cinq tend l'oreille. Elle n'arrive pas à entendre sa cousine respirer. Elle tâte son lit. Vide ! Elle allume la lumière. Les vêtements de Claude ont disparu.

— C'est pas vrai... Elle est allée sur l'île. J'en suis sûre. En pleine nuit, toute seule !

Elle court dans la chambre de ses frères, cherche à l'aveuglette l'épaule de François et le secoue sans ménagement. Il se réveille en sursaut.

— Qu'est-ce qu'il y a ? Qu'est-ce qui se passe ?

— Claude est partie, explique sa sœur.

Le bruit de leurs voix alerte Mick à son tour, et voilà les deux garçons assis dans leur lit.

— On aurait dû deviner qu'elle mijotait une bêtise de ce genre ! grommelle l'aîné. Elle va se tuer, seule en pleine mer au milieu de la nuit ! Elle aurait pu attendre dix heures et demie du matin... et elle aurait vu son cher Dagobert par la longue-vue. Je suis convaincu qu'elle s'est inquiétée pour rien !

— Alors, on ne va pas la chercher ? demande Annie avec anxiété.

— Non. À l'heure qu'il est, elle doit être dans l'île, en train de caresser Dag et de se disputer avec l'oncle Henri. Vraiment, elle exagère ! Qu'est-ce qu'elle m'énerve, parfois !

Ils bavardent un petit moment, puis Mick regarde sa montre.

— Cinq heures. Essayons de dormir encore un peu. Tante Cécile sera contrariée quand elle apprendra la dernière escapade de Claude.

Mais soudain, ils entendent un bruit bizarre au rez-de-chaussée. Qu'est-ce que c'est ? On croirait que quelqu'un escalade une fenêtre. Y en a-t-il une d'ouverte ? Oui, celle de la cuisine l'est sûrement. Badaboum ! Qu'est-ce qui se passe ? Ce n'est pas un voleur : aucun voleur ne serait assez stupide pour faire autant de vacarme.

Les marches grincent. La porte de la chambre s'ouvre doucement. Et les enfants voient entrer Dagobert !

— Dag ! s'écrie François. Comment tu es arrivé là ? Où est Claude ?

— Claude l'a donc ramené ? interroge son frère. Elle est là aussi ?

— Apparemment non..., constate Annie. Dis donc, Dago, qu'est-ce que tu tiens dans ta gueule ? Donne !

Le chien obéit. La fillette ramasse le carnet.

— Il est plein de notes, toutes de l'écriture de l'oncle Henri ! Bizarre... Pourquoi Dagobert nous rapporte-t-il ce calepin ? Et sans notre cousine ? Je vais réveiller tante Cécile !

— Non ! la retient son frère aîné. Ça ne servira à rien, sinon à l'inquiéter. Tant qu'on n'a aucune certitude que Claude a eu un problème, mieux vaut se débrouiller par nous-mêmes. On préviendra notre tante quand on en saura plus. Pour l'instant, on doit mener notre propre enquête...

Les deux autres approuvent la position de François. Ils décident de mettre le carnet en sûreté, sous le tapis de la chambre des garçons.

Dagobert a une attitude curieuse. Il ne cesse de donner des coups de patte en gémissant. Il a l'air préoccupé.

— Qu'est-ce qu'il a ? demande Mick. Et d'ailleurs, comment il est venu ici ?

Pas à la nage, puisqu'il a le poil sec. Pas en bateau, puisque Claude n'est pas là.

— Dag veut qu'on retourne avec lui chercher sa maîtresse ! traduit Annie. Il faut qu'on le suive !

— Oui, tu as raison !

Les trois enfants commencent à s'habiller. Le chien les regarde faire sans s'impatienter. Puis ils descendent l'escalier à pas de loups, pour ne pas réveiller leur tante ni Sylvie. Ils sortent de la maison.

— À toi de jouer, maintenant, Dag ! lance François. Montre-nous le chemin !

pas à la nage, puisqu'il a le poil sec. Pas en bateau, puisque Claude n'est pas là.

— Dag veut qu'on retourne avec lui chercher sa maîtresse ! répond Annie. Il faut qu'on le suive !

— Oui, tu as raison !

Les trois enfants commencent à s'habiller. Le chien les regarde faire sans s'impatienter. Puis ils descendent l'escalier à pas de loup, pour ne pas réveiller leur tante ni Sylvie. Ils sortent de la maison.

— À toi de jouer maintenant, Dag ! fait François. Montre-nous le chemin !

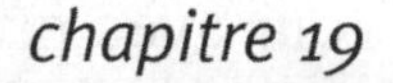

chapitre 19

Une rencontre inattendue

Dag contourne la maison en courant et s'élance dans la lande. C'est bizarre. Où veut-il aller ?

— De plus en plus curieux ! s'exclame François. Je suis sûr que Claude ne peut pas être par là.

Le chien poursuit son chemin d'un pas alerte, se retournant juste de temps en temps pour s'assurer que tout le monde le suit bien. Il se dirige droit vers la carrière.

— Notre cousine serait là-bas ? Mais pourquoi ? demande Mick.

Dag disparaît dans le fond de la car-

rière, glissant et roulant sur la pente abrupte. Les enfants descendent à leur tour avec prudence. Heureusement la terre ne s'éboule pas trop sous leurs pieds, et ils atteignent le bas sans accident.

Dagobert s'avance vers le roc en corniche et se faufile dessous. Ils l'entendent lancer un aboiement bref comme pour leur dire : « Venez ! C'est par ici. Dépêchez-vous. »

— Il est parti par le tunnel qui se trouve là-dessous, observe Annie. Celui qu'on avait prévu d'explorer. Il doit y avoir un souterrain.

— Je passe le premier !

Et François rampe dans le trou. Il parvient bientôt à l'endroit où la cavité s'élargit et il peut même enfin se redresser complètement. Il avance de quelques pas dans l'obscurité, guidé par les aboiements impatients du chien. Mais il finit par s'arrêter.

— On ne peut pas te suivre dans le

noir, Dago ! crie-t-il. Il faut qu'on retourne chercher des lampes de poche.

Mick a commencé à s'introduire dans le trou ; son frère lui dit de ressortir.

— Il fait trop sombre, explique-t-il. On a besoin de lumière. Si Claude se trouve réellement dans ce passage, elle a dû avoir un accident. On ferait bien de prendre une corde et du désinfectant en même temps que nos torches électriques.

La benjamine de la fratrie se met à trembler. Toute cette histoire la terrifie. Les garçons passent leurs bras autour d'elle et l'aident à remonter au sommet de la carrière.

— Ne t'inquiète pas, on ramènera Claude, la rassure François. Ce que je n'arrive pas à comprendre c'est pourquoi elle est venue ici... Hé ! Regardez ! Ce n'est pas Christophe qu'on aperçoit là-bas ?

C'est bien lui. Il reste planté au sommet de la pente, l'air abasourdi.

— Tu es bien matinal, dis donc ! lui crie Mick. Tu te lances dans le jardinage ? Pourquoi ces bêches ?

Le nouveau venu, immobile, ne sait que répondre. Les enfants s'approchent vivement de lui.

— Écoute, Christophe. Il se passe quelque chose de bizarre. Qu'est-ce que tu vas faire avec ces outils ? Tu as vu Claude ? Elle est où ? Elle va bien ? Vite, réponds-nous !

L'adolescent murmure d'une voix blanche :

— Claude ? Non, il lui est arrivé quelque chose ?

— Elle a disparu ! explique Annie en pleurant. On pensait qu'elle était partie dans l'île chercher son chien, mais Dag est arrivé à la maison tout à l'heure et nous a amenés ici.

— Ce qui prouverait que sa maîtresse est aussi dans les parages, poursuit Fran-

çois. Et on veut savoir si tu l'as aperçue ou si tu sais où elle est passée.

— Je n'en sais rien, je vous le jure.

— Alors, qu'est-ce que tu fais ici, à l'aube, avec ces bêches ? reprend sèchement Mick. Tu attends quelqu'un ? Ton père ?

— Oui.

— Vous vouliez explorer le trou qui est là-dessous ?

— Oui, acquiesce Christophe d'un ton soucieux. Il n'y a pas de mal à ça, non ?

— Non, mais c'est plutôt étrange, réplique François en regardant le jeune homme bien en face. Et écoute-moi : c'est nous qui irons en exploration... pas vous. S'il y a quelque chose à découvrir dans cette cavité, on s'en chargera nous-mêmes. On ne permettra ni à toi ni à ton père d'y pénétrer. Va le prévenir.

Son interlocuteur ne bouge pas. Il pâlit et jette aux enfants un coup d'œil malheureux. Annie, qui a encore des larmes

plein les joues, s'approche de lui et pose la main sur son bras.

— Oh ! qu'est-ce qu'il y a ? Pourquoi tu as l'air si triste ? Explique-nous ce qui se passe.

Alors, à la consternation générale, Christophe se détourne subitement avec un bruit qui ressemble à un sanglot. Il reste là, le dos tourné, secoué de soubresauts convulsifs.

— Qu'est-ce qu'il a encore ? s'exaspère Mick. Eh ! Ressaisis-toi... raconte-nous ce qui te tourmente.

— Tout, oh ! tout ! répond-il d'une voix étouffée.

Il vire sur ses talons et leur fait face :

— Vous ne savez pas ce que c'est que de n'avoir ni père, ni mère, personne qui se soucie de vous... et...

— Mais tu as un père ! rectifie Annie.

— Non. Corton n'est pas mon père. Il n'est que mon tuteur, mais il veut que je

l'appelle comme ça quand on travaille ensemble.

— Comment ça « quand vous travaillez ensemble » ? Quel travail ? interroge François.

— Oh ! Des choses... plus laides les unes que les autres. Il veut que je l'assiste pour espionner les gens et découvrir les méfaits qu'ils commettent... puis il leur extorque de l'argent en leur promettant de ne pas en parler... Il me demande aussi d'entreposer des marchandises volées et de les revendre... et d'aider des hommes dans le genre de ceux qui convoitent le secret de votre oncle...

— Je m'en doutais ! s'écrie Mick. J'avais bien pensé que toi et M. Corton, vous intéressiez un peu trop à l'île de Kernach. Qu'est-ce que vous cherchez exactement ?

— Mon tuteur me fera passer un mauvais quart d'heure pour vous avoir raconté ça. Tant pis. Lui et ses complices ont l'in-

tention de faire sauter l'île... C'est bien la pire histoire à laquelle j'aie été mêlé... et voilà que votre oncle est là-bas, avec Claude aussi, peut-être. Oh ! non, je ne peux pas continuer !

Quelques larmes recommencent à couler sur ses joues. C'est affreux de voir quelqu'un pleurer comme ça. Les trois éprouvent de la pitié et même de la sympathie pour Christophe maintenant. Mais par-dessus tout, ils sont horrifiés à l'idée que l'île va sauter.

— Tu es sûr de ce que tu dis ? questionne François.

— Corton a un émetteur-radio, vous l'avez vu à la maison, et les hommes qui sont sur l'île, ceux qui veulent le secret de votre oncle, en ont un eux aussi. Ça leur permet de rester en contact. Ils ont l'intention de s'emparer des formules de M. Dorsel. Mais s'ils n'y arrivent pas, ils détruiront entièrement l'île pour que personne ne profite de la découverte.

— Et ils feront comment pour s'enfuir avant l'explosion ?

— Mon tuteur est certain que le trou découvert par Dag, l'autre jour, donne dans un souterrain creusé sous la mer. À l'autre bout, il y a Kernach. M. Corton possède une vieille carte où l'on distingue très bien le tracé d'un tunnel sous-marin. Ses complices s'enfuiront par ce passage après avoir mis en place les explosifs sur l'île.

— Astucieux..., reconnaît Mick. Et vous savez ce que je pense : Dag est venu de l'île par ce tunnel dont tu nous parles, Christophe. Et voilà pourquoi il nous a conduits ici... pour qu'on aille secourir Claude et l'oncle Henri en empruntant cette même voie !

Un profond silence suit. On entend seulement les faibles sanglots d'Annie. Elle a du mal à croire ce qu'elle a entendu. Puis François prend la parole.

— Écoute, Christophe, tu as bien fait

de nous prévenir. Grâce à toi, on va peut-être éviter une catastrophe. Mais il faut nous aider. On a besoin de tes bêches. Et j'imagine que tu dois aussi être muni de lampes. Elles nous serviront bien. On va explorer ce passage sous-marin ; je te propose de nous accompagner.

— Vous avez suffisamment confiance en moi ? murmure le jeune homme. Oui, je suis prêt à venir avec vous. Et si on part tout de suite, mon tuteur ne pourra pas nous suivre, parce qu'il n'aura rien pour s'éclairer. On ramènera Claude et votre oncle sains et saufs !

— Très bien ! approuve Mick. Il faut aussi que quelqu'un aille avertir tante Cécile de ce qui se trame sur l'île. Elle doit avertir la police.

— J'y vais ! décide Annie. De toute façon, je ne tiens pas à entrer dans ce souterrain. Soyez bien prudents, tous !

Elle regarde les trois garçons disparaître dans le trou sous le rocher. Dag qui a pié-

tiné d'impatience en aboyant de temps en temps pendant la discussion, manifeste sa joie en les voyant pénétrer enfin dans le tunnel. Il précède les aventuriers dans le passage, et ses yeux ont l'air phosphorescents quand il se retourne pour s'assurer que la petite troupe le suit.

De son côté, Annie escalade la pente abrupte. Elle est à mi-chemin du sommet lorsqu'il lui semble entendre des pas. Elle s'arrête et s'accroupit derrière un buisson. À travers les feuilles, elle aperçoit soudain M. Corton. Puis elle l'entend crier :

— Christophe ! Où es-tu ?

Il cherche donc son prétendu fils pour explorer avec lui le souterrain ! La benjamine du Club des Cinq ose à peine respirer. L'homme appelle à plusieurs reprises, pousse une exclamation d'impatience et se met à descendre la pente.

Tout à coup, il glisse... Il se raccroche à des broussailles mais elles cèdent. Il dégringole et passe tout près d'Annie. Il

paraît étonné en voyant la fillette, mais son expression de surprise se transforme en frayeur comme il roule de plus en plus vite jusqu'au bas de la pente. Il pousse un cri sourd en atteignant le fond de la carrière.

Là, il reste assis et se tient la jambe en gémissant. Il lève la tête et crie :

— Eh ! petite ! je crois que je me suis cassé la jambe ! Veux-tu aller chercher du secours ? Et pourquoi es-tu là de si bonne heure ? As-tu rencontré mon fiston ?

Annie ne répond pas. S'il s'est cassé la jambe, alors tant mieux : il ne pourra pas poursuivre les garçons ! Et elle peut s'enfuir sans qu'il la rattrape. Elle recommence son ascension avec lenteur, car elle a peur de tomber et de se retrouver immobilisée au fond à côté de l'horrible M. Corton.

— Tu as vu Christophe ? Cherche-le, s'il te plaît ! hurle de nouveau le bandit.

Et il se remet à gémir. La fillette atteint

le sommet de la pente et se penche. Elle place ses mains en porte-voix autour de sa bouche et répond :

— Vous êtes quelqu'un de très méchant. Je n'irai pas vous chercher de l'aide. Je vous déteste !

Ayant ainsi soulagé son cœur, elle s'élance au pas de course à travers la lande.

« Il faut que je prévienne tante Cécile. Elle saura ce qu'il faut faire. Oh ! j'espère qu'il n'arrivera rien aux autres. Pourvu que l'île ne saute pas ! »

le sommet de la pente, Elsé a lâché ... lle
place ses mains. En fond d'air, tout autour des ...
... bouche répond ...

— ... était dire ! quelque part de ... très
marchant de prairie passait chercher de ...
... pas ne laisse ...

— Avant d'une voiture son tour cela
Elisée au bus de moments et n'avais le
bord ...

— Il faudrait le revenir ainsi jeudi ...
— Pas sans ... quel Paul fait On ... Es
... lorsqu'il y aura venir un ... une ...
... Paul a pu elle à ... aura été ...

chapitre 20

Arriveront-ils trop tard ?

Pendant ce temps-là, Dagobert et les trois garçons accomplissent un étrange voyage souterrain. Le chien court en éclaireur sans hésiter, ne s'arrêtant que pour permettre à ses compagnons de le rattraper.

Au début, la voûte du tunnel est très basse et elle oblige les garçons à avancer courbés, ce qui est extrêmement fatigant. Mais au bout d'un moment, ils peuvent se redresser. François examine les parois et le sol avec sa lampe. Il se rend compte que le tunnel est creusé dans le roc. Il cherche à deviner où ils se trouvent.

— On est allés droit vers la falaise, à part un ou deux crochets à droite et à gauche, raisonne-t-il. Ces cent derniers mètres étaient tellement en pente qu'on doit être à une grande profondeur.

Ce n'est que lorsque les jeunes explorateurs entendent l'étrange mugissement perçu par Claude dans le passage secret qu'ils comprennent où ils sont. Ils marchent sous la mer ! C'est à la fois étrange et surprenant.

— Comme dans un rêve, commente Mick. Mais un rêve que je n'aime pas beaucoup. Oh ! oh ! qu'est-ce que c'est que ça ?

Ils s'immobilisent. Des rocs de la voûte se sont écroulés et bouchent le passage. Dagobert a réussi à se faufiler entre deux pierres, mais les garçons ne peuvent pas emprunter le même chemin.

— Voilà où les bêches sont utiles ! explique Christophe. Allons-y !

Poussant, tirant, creusant, ils réussissent

à dégager assez de place pour franchir ce barrage.

Ils continuent leur route et doivent avoir recours de nouveau aux pelles pour déplacer d'autres cailloux. Dago aboie avec impaticnce chaque fois qu'ils le font attendre. Il a hâte de rejoindre Claude. Ils atteignent bientôt l'endroit où le tunnel se divise en deux. Le chien s'engage sans hésiter dans la branche de droite, et quand ce boyau se sépare à son tour en trois, il s'enfile dans une des voies sans même ralentir pour réfléchir.

— Incroyable, hein ? Quel flair ! Il a suffi que Dag y passe une seule fois pour connaître le chemin par cœur, observe François. Sans lui, on serait complètement perdus.

Christophe avance péniblement derrière les autres, prononçant à peine un mot de temps en temps. Il s'inquiète de ce qui se passera une fois cette aventure terminée.

— Vous croyez qu'on approche de

l'île ? questionne Mick au bout d'un moment. Je commence à être fatigué.

— On n'est pas loin, maintenant, assure son frère. Il vaudrait mieux essayer de faire le moins de bruit possible au cas où on tomberait sur nos ennemis.

Ils poursuivent donc leur chemin sans échanger une parole... Soudain ils aperçoivent une lueur à faible distance. Ils s'arrêtent.

Les garçons ont presque atteint la caverne où le père de Claude a installé ses livres et ses papiers. Dagobert s'est figé lui aussi, les deux oreilles dressées. Il ne veut pas courir tête baissée dans un traquenard !

Les trois aventuriers perçoivent un bruit de voix et s'efforcent de les identifier.

— C'est Claude... et l'oncle Henri ! chuchote Mick.

Et Dag bondit en avant et entre en trombe dans la grotte éclairée avec un aboiement joyeux.

— Dag ! Et... les cousins ! Comment êtes-vous arrivés ici ? s'exclame l'adolescente tandis que son chien cabriole autour d'elle.

— C'est Dago qui nous a conduits ici, explique François.

Il raconte comment l'animal est rentré à la *Villa des Mouettes* à l'aube et tout le reste.

Les deux prisonniers relatent à leur tour ce qui leur est advenu.

— Où sont les deux hommes ? demande l'aîné des Cinq.

— Quelque part dans l'île, répond sa cousine. Je suis allée voir ce qu'ils faisaient tout à l'heure. Je crois qu'ils resteront dans la petite salle voûtée jusqu'à dix heures et demie. Alors, ils enverront les signaux pour faire croire que tout se passe bien sur l'île !

— Qu'est-ce qu'on doit faire, maintenant ? questionne Mick. Vous rentrez avec nous par le tunnel sous-marin ?

— C'est risqué ! s'écrie Christophe. Mon tuteur y est peut-être... et il est en contact avec toute une bande. S'il se demande où je suis, et s'il se doute qu'il est arrivé quelque chose, il est capable de prendre deux ou trois hommes en renfort, et on risquerait de se trouver nez à nez avec eux dans le passage...

Ils ignorent, bien entendu, que M. Corton gît au fond de la carrière avec une jambe cassée. L'oncle Henri réfléchit.

— On m'a donné sept heures pour décider si je voulais livrer mon secret ou non, explique-t-il. Le délai expire à dix heures et demie. Les malfrats reviendront à ce moment-là.

— On n'a qu'à se cacher quelque part et lancer Dag sur eux avant qu'ils aient le temps de réagir !

À peine François finit-il de parler que la lumière s'éteint. Puis une voix résonne dans l'obscurité.

— Ne bougez pas. Ou je tire.

Claude sent sa gorge se serrer. Que se passe-t-il ? Leurs ennemis sont de retour plus tôt que prévu...

Elle agrippe le collier de son fidèle compagnon, de peur qu'il ne tente de sauter à la gorge de l'inconnu et ne reçoive une balle. La voix résonne de nouveau.

— Vous vous êtes décidé, Dorsel ? Voulez-vous nous livrer votre secret ?

— Jamais ! réplique l'oncle Henri d'une voix sourde.

— Vous préférez que votre travail soit réduit à néant, aussi bien que l'île et vous-même ?

— Je ne vous en crois pas capables ! hurle soudain sa fille. Vous sauterez, vous aussi ! Vous n'avez pas de bateau pour vous sauver !

L'homme éclate de rire :

— Ne craignez rien pour nous. Reculez jusqu'au fond de la caverne. Attention, mon arme est braquée sur vous...

Ils se tassent au bout de la grotte. Dag

gronde, mais Claude le fait taire tout de suite. Elle ignore si les hommes le savent libre ou non.

Le sol crisse. La jeune fille tend l'oreille : des pas légers, deux sortes de pas ! Leurs ennemis traversent la grotte. Elle devine qu'ils cherchent à disparaître par le passage sous-marin... abandonnant l'île à sa destruction.

Dès que les pas se sont évanouis, l'adolescente allume sa lampe électrique.

— Papa, ces hommes partent par le tunnel ! Il faut qu'on se sauve aussi, mais pas par là. Mon bateau est dans la crique. Courons-y et tâchons de nous éloigner avant l'explosion !

— En route ! approuve le savant. Ah ! Si je pouvais monter dans la tourelle, je ruinerais tous leurs plans. Ils veulent se servir du courant que concentrent les câbles de la salle vitrée pour faire sauter Kernach...

— Oh ! dépêche-toi, papa ! crie Claude

que la panique commence à saisir. Sauve mon île si tu peux !

Ils quittent la caverne, traversent le souterrain et atteignent les marches qui descendent de la salle voûtée. Et une fois en haut, ils ont une surprise désagréable...

La dalle refuse de s'ouvrir de l'intérieur ! Les bandits ont modifié le mécanisme qui fonctionne maintenant uniquement de l'extérieur...

L'oncle Henri a beau manœuvrer le levier dans tous les sens, la pierre ne bouge pas.

— On ne peut plus l'ouvrir que de dehors, se résigne-t-il avec un soupir. Nous sommes prisonniers.

Ils se laissent tomber sur les marches, les uns au-dessous des autres. Les enfants ont faim, froid et peur. Que vont-ils faire ? Retourner vers la caverne et s'engager dans le tunnel sous-marin ?

— Non, s'oppose le chercheur. Je crains trop que l'explosion ne provoque

une fissure dans le fond de la mer et que l'eau ne s'engouffre dans le passage. Ce serait catastrophique si nous y étions à ce moment-là.

— Oh ! non ! murmure sa fille en frissonnant. Ne nous laissons pas prendre au piège comme ça. C'est affreux.

— Je pourrais peut-être essayer de mettre au point un engin qui permette de faire sauter cette dalle, reprend l'oncle Henri au bout d'une seconde. J'ai tous les éléments nécessaires avec moi... à condition qu'il me reste assez de temps pour les rassembler !

— Écoutez ! s'écrie alors François. Il me semble que j'entends quelque chose de l'autre côté du mur. Chut !

Ils prêtent l'oreille. Dagobert gémit et gratte la dalle qui refuse de s'ouvrir.

On dirait des voix ! C'est comme s'il y avait des tas de gens de l'autre côté. Qui c'est ? questionne Mick.

— J'ai deviné ! s'exclame sa cousine.

Ce sont les secours qu'Annie a été chercher ! Voilà pourquoi les espions n'ont pas attendu dix heures et demie : ils avaient vu que des bateaux approchaient pour nous sauver ! Annie ! Annie ! On est là !

Le chien se met à aboyer de toutes ses forces. Il devient assourdissant. Les autres l'encouragent, car ils sont sûrs que ses hurlements s'entendront mieux que leurs appels.

— Ouah ! Ouah ! Ouah !

La benjamine du Club des Cinq a entendu les cris dès qu'elle entre dans la petite salle voûtée.

— Où êtes-vous ? Où êtes-vous ? hurle-t-elle.

— Ici, ici ! Déplace la pierre ! répond François avec une telle violence que les autres manquent de dégringoler de surprise en bas de l'escalier.

— Laissez-moi passer, ma petite demoiselle, je vois de quelle pierre il

s'agit, assure une voix de basse, celle d'un brigadier.

Il tâtonne tout autour de la dalle, bien reconnaissable parce que plus propre que les autres à force d'avoir servi comme entrée.

Tout à coup il découvre le bon endroit et met la main sur un petit levier de fer. Il tire dessus, le contrepoids s'ébranle et le panneau rocheux se rabat.

Les prisonniers bondissent dehors en file indienne. Les six gendarmes les regardent avec stupéfaction faire irruption l'un après l'autre dans la salle voûtée. Tante Cécile est là, elle aussi, avec Annie. Elle se précipite vers son mari dès qu'il sort, mais, à sa grande surprise, il l'écarte sans douceur.

Il s'élance dehors en courant de toutes ses forces vers la tourelle. Arrivera-t-il à temps pour sauver l'île et tous ceux qui se trouvent dessus ?

chapitre 21

L'aventure s'achève

— Où est-il parti ? s'exclame tante Cécile ahurie.

Personne ne lui répond. François, Claude et Christophe ont la tête levée vers la tourelle et la scrutent avec anxiété. Et soudain, l'once Henri apparaît en haut !

Il a ramassé une grosse pierre en chemin. Il s'en sert pour fracasser les parois de verre au sommet de la tourelle. Crac ! Les fils électriques qui courent dans l'épaisseur du verre se brisent en même temps. Aucun courant ne peut plus passer ! Le savant se penche par la brèche.

— Tout va bien ! crie-t-il joyeusement.

Je suis arrivé à temps. J'ai anéanti le courant grâce auquel nos ennemis pensaient faire sauter toute l'île... Nous ne risquons plus rien !

Claude sent soudain ses genoux trembler et elle doit s'asseoir. Dag s'approche pour lui lécher la figure avec inquiétude.

L'oncle Henri descend les rejoindre.

— Encore dix minutes, et je n'aurais rien pu empêcher. Heureusement que vous avez tous débarqué à temps ! C'est toi, Annie, qui a été cherché du secours ?

— J'ai couru tout le long du chemin, explique la fillette. J'ai prévenu tante Cécile et on a téléphoné à la gendarmerie. Les brigadiers nous ont donné rendez-vous sur la plage et nous ont permis de les accompagner dans leurs zodiaques.

— Savez-vous où sont les bandits ? intervient un des gendarmes.

— Ils sont partis par le tunnel sous-marin, déclare François.

Et l'aîné des Cinq raconte ce qui s'était

passé sous terre. Les nouveaux venus l'écoutent en ouvrant de grands yeux.

— Il faut que nous rattrapions ces malfrats au plus vite, et que nous les mettions hors d'état de nuire, décide l'adjudant quand le garçon a fini son récit. Nous devons quitter l'île le plus vite possible, si nous voulons capturer ces hommes quand ils sortiront du tunnel.

— Bien sûr, acquiesce tante Cécile.

— Vous trouverez M. Corton avec une jambe cassée, au fond de la carrière, annonce Annie qui vient seulement de se rappeler l'existence de ce dernier.

Tous se regardent avec surprise. La fillette leur relate l'accident et conclut :

— Je lui ai dit qu'il était très méchant !

— Tu as bien fait ! la félicite l'oncle Henri en riant. Bon, allons-y, tant qu'il est encore temps d'arrêter ces bandits ! Je reviendrai sur l'île plus tard pour déménager mon matériel...

— Deux de mes hommes peuvent s'en

occuper pour vous tout de suite, propose l'adjudant. Ils prendront le canot que votre fille a laissé dans la crique.

— Excellente idée, merci. Mes affaires se trouvent dans les grottes. Vous n'avez qu'à descendre l'escalier et suivre le souterrain.

Hormis les deux gendarmes chargés de transborder le matériel scientifique du savant, tout le monde se rend à la crique. La journée est splendide et la mer plate comme un miroir, sauf juste autour de l'île où les vagues déferlent sur les écueils. Bientôt tous les zodiaques, portant le sigle de la gendarmerie, se dirigent vers la côte.

— Et voilà... l'aventure est finie ! constate Annie.

— Et quelle aventure ! insiste François. C'en est une de plus à rajouter sur la liste du Club des Cinq. Grâce au courage de Christophe, on a évité qu'il se produise une terrible catastrophe !

Ce dernier lui lance un regard triste.

— N'aie pas l'air si malheureux..., lui dit tante Cécile en lui passant le bras autour des épaules. Nous veillerons à ce que tout se termine bien pour toi. Tu nous as beaucoup aidés et tu as couru de grands risques pour sauver mon mari et ma fille.

— Merci beaucoup, répond le jeune homme. Si je pouvais ne jamais revoir mon tuteur, j'en serais ravi.

— Il y a des chances pour qu'il soit immédiatement conduit au commissariat, puis en prison, le rassure Henri Dorsel. Tu n'auras plus le moindre contact avec lui. Ne te tourmente pas.

Dès que les bateaux ont abordé, tout le monde se dirige vers la carrière pour vérifier si M. Corton y est encore... En effet, ce dernier n'a pas bougé d'un centimètre. Il gémit toujours et appelle à l'aide. L'adjudant lui lance sèchement :

— Nous connaissons votre rôle dans cette affaire, Corton. Nous savons que

vous êtes venus ici cette nuit pour attendre vos deux complices qui doivent émerger de ce tunnel. Heureusement, vos plans ont été déjoués. Maintenant, la police va se charger de vous. L'ambulance arrivera dans quelques minutes...

Dag flaire le tuteur de Christophe et s'éloigne, le museau en l'air, comme pour dire :

— Vilain bonhomme !

Les gendarmes se postent près de l'entrée du souterrain. Mais personne n'en sort. Une heure passe... Puis deux. Encore personne.

— Ne vous sentez pas obligés d'attendre, déclare l'un des brigadiers. Vous avez vécu de très fortes émotions : vous feriez peut-être mieux de rentrer chez vous...

— Hors de question ! réagit l'oncle Henri. J'ai trop envie de voir la tête de ces deux brigands quand ils jailliront de leur trou. Ce sera la minute la plus

agréable de ma vie ! L'île n'a pas sauté. Mon secret m'appartient toujours. Mon carnet de formules est en lieu sûr et mon travail est terminé !

— Tu sais, papa, intervient Claude, je crois qu'ils se sont perdus dans le tunnel. Dag a guidé les garçons, mais sans lui, ils se seraient égarés dans ce labyrinthe...

La figure de son père s'allonge à l'idée que ses ennemis vont tâtonner pendant des heures dans le souterrain sans arriver à sortir. Il tient beaucoup à voir leur air quand ils aboutiront dans la carrière.

— On pourrait leur envoyer Dag, propose François. Il aurait vite fait de les retrouver et de les ramener. Hein, Dag ?

— Ouah ! fait le chien qui est bien de cet avis.

— Excellente idée ! approuve sa maîtresse. Ils ne lui tireront pas dessus s'ils pensent qu'il pourra leur montrer le chemin. Va, Dago ! Cherche-les ! Ramène-les ici !

— Ouah !

Et il disparaît sous le rocher en corniche.

Tout le monde attend. Et tout à coup l'aboiement de Dagobert résonne de nouveau.

Il y a le bruit d'une respiration haletante, un crissement de terre éboulée. Un homme rampe hors du trou, puis se met debout... et aperçoit le groupe qui l'observe en silence. Il étouffe une exclamation.

— Bonjour, dit l'oncle Henri d'un ton mielleux. Comment allez-vous ?

L'arrivant devient blanc comme un linge et se laisse tomber sur une touffe de bruyère.

— C'est bon. Vous avez gagné, Dorsel..., grommelle-t-il.

— Oui, répond le savant. Et bien gagné. Votre traquenard n'a pas réussi. Mon secret est intact... et il appartiendra au monde entier dès l'an prochain.

Le second espion surgit à son tour. Il se redresse, lui aussi, et voit tous ces gens rassemblés qui le scrutent.

— Charmé de vous revoir, ironise de nouveau l'oncle Henri. Comment avez-vous trouvé votre promenade souterraine ? Nous avons préféré venir par mer...

L'homme jette un coup d'œil à son complice et se laisse choir, lui aussi, sur le sol.

— Nous avons perdu la partie, conclut-il avec un soupir.

À ce moment, Dagobert émerge du souterrain en frétillant de la queue et se dirige vers Claude.

— Je parie qu'ils ont été contents quand ils l'ont aperçu ! s'écrie François.

Le premier malfrat hoche la tête :

— Oui. Nous étions perdus dans ce réseau de galeries. Corton avait dit qu'il viendrait à notre rencontre, mais il n'est pas venu.

— Non. Il est à l'infirmerie du commissariat avec une jambe cassée, réplique Henri Dorsel.

Les deux hommes sont pris en charge par les gendarmes. Les enfants et les parents de Claude s'en retournent à la *Villa des Mouettes*.

— Je meurs de faim, déclare Mick en arrivant. Sylvie, tu as préparé quelque chose de bon ?

— Oh... pas grand-chose ! répond la cuisinière avec un sourire en coin. Seulement une omelette au fromage et aux champignons !

— Mmm ! fait Annie. Sylvie, tu auras droit à l'O.M.C.B. !

— Qu'est-ce que c'est que ça ?

Mais la fillette est incapable de s'en souvenir.

— C'est une décoration, explique-t-elle.

— Je n'ai pas besoin de médailles...

J'aimerais mieux qu'on m'aide à mettre le couvert !

C'est devant une table bien garnie qu'ils s'attablent tous les sept, non, tous les huit, car Dagobert a bien mérité sa part du déjeuner.

Maintenant qu'il s'est délivré de son tuteur, Christophe semble changer d'humeur.

— Est-ce que tu aimerais vivre avec le garde-côte ? questionne tante Cécile. Je l'ai eu au téléphone ce matin, et il était dévasté d'apprendre que tu avais disparu. Il t'aime beaucoup, tu sais... il ne cesse de répéter que tu es un bon garçon !

— Oui, je m'entends très bien avec lui. En plus, on partage le même goût pour l'art...

— Tant mieux ! se réjouit l'oncle Henri. Il suffira que le vieux douanier fasse quelques démarches administratives pour devenir son tuteur légal. En attendant, tu viendras jouer avec ma fille et

mes neveux. Et, quant à moi, je verrai si je peux te faire inscrire aux Beaux-Arts.

Christophe déborde de joie. On dirait qu'un poids lui a été enlevé des épaules.

— Maman, demande Claude, est-ce qu'on pourra aller demain à Kernach regarder les ouvriers démonter la tourelle ? Ensuite, on resterait là-bas toute une semaine. On coucherait dans la petite salle voûtée...

Tante Cécile sourit.

— Pourquoi pas ? Je ne serais pas fâchée d'avoir ton père à moi toute seule pendant quelques jours. J'en profiterais pour le faire manger !

— Tiens ! Tu m'y fais penser, Cécile ! s'écrie son mari. Avant-hier soir, j'ai voulu manger la soupe que tu m'avais apportée. Et elle avait un goût infâme ! Vraiment !

— Oh ! Henri... je t'avais dit de la jeter, rappelle-toi. Elle devait être complètement tournée. Tu me désespères !

Ils finissent leur déjeuner, puis sortent tous dans le jardin. Ils regardent longuement l'île de Kernach, plantée en sentinelle au milieu de la baie. Elle est merveilleuse dans le soleil matinal.

— Le Club des Cinq compte une aventure de plus à son palmarès, déclare François. Et celle-ci était passionnante ! Je me demande si on en vivra d'autres...

— Ouah ! assure Dagobert.

Quel nouveau mystère le Club des Cinq devra-t-il résoudre ?

Pour le savoir,
regarde vite la page suivante !

Claude, Dagobert et les autres sont prêts à mener l'enquête

Dans le 14e tome de la série le Club des Cinq, **La locomotive du Club des Cinq**

Pendant les vacances de Pâques, les Cinq se retrouvent dans une ferme en Bretagne, tout près de la « Lande du Mystère ». Beaucoup d'histoires circulent sur ce lieu étrange, et les Cinq, intrigués, décident d'y camper. C'est là qu'ils découvrent une vieille locomotive, enfouie dans le sable... Ce n'est que le début de l'aventure !

Les as-tu tous lus ?

1. *Le Club des Cinq et le trésor de l'île*

2. *Le Club des Cinq et le passage secret*

3. *Le Club des Cinq contre-attaque*

4. *Le Club des Cinq en vacances*

5. *Le Club des Cinq en péril*

6. *Le Club des Cinq et le cirque de l'Étoile*

7. *Le Club des Cinq en randonnée*

8. *Le Club des Cinq pris au piège*

9. *Le Club des Cinq aux sports d'hiver*

10. Le Club des Cinq va camper

11. Le Club des Cinq au bord de la mer

12. Le Club des Cinq et le château de Mauclerc

Suis le Club des Cinq dans chacune de ses aventures !

www.bibliothequerose.com
Le site de
tes héros préférés
LA BIBLIOTHÈQUE ROSE
TES SÉRIES PRÉFÉRÉES
CONCOURS
QUOI DE NEUF ?
L'ATELIER
LA BOUTIQU
BIBLIOTHÈQUE ROSE
LA BIBLIOTHÈQUE ROSE

Table

« Pour l'éditeur, le principe est d'utiliser des papiers composés de fibres naturelles, renouvelables, recyclables et fabriquées à partir de bois issus de forêts qui adoptent un système d'aménagement durable. En outre, l'éditeur attend de ses fournisseurs de papier qu'ils s'inscrivent dans une démarche de certification environnementale reconnue. »

Composition MCP – ***Groupe Jouve*** – 45770 Saran

Imprimé en France par Qualibris ***(J-L)***
Dépôt légal : Septembre 2007
20.20.1460.3/01 – ISBN 978-2-01-201460-2

Loi n° 49-956 du 16 juillet 1949
sur les publications destinées à la jeunesse